Chères lectrices,

Pour fêter l'arrivée de l'été et des vacances, je vous propose de découvrir ce mois-ci une passionnante saga signée Sandra Marton : les O'Connell. Dans cette grande fresque familiale en six volets que vous pourrez suivre jusqu'au mois de décembre, vous allez faire la connaissance du clan O'Connell — une riche et puissante famille d'origine irlandaise, dont le succès en affaires va de pair avec une vie sentimentale aussi tumultueuse que passionnée !

Dans « Le feu de la passion », publié ce mois-ci, vous découvrirez l'histoire de Keir O'Connell, l'aîné de cette fratrie de six, qui, après avoir dirigé un luxueux complexe hôtelier à Las Vegas, décide de racheter un magnifique domaine dans le Connecticut pour y lancer un établissement de très grand prestige. Pour Keir, il s'agit d'une excellente occasion de quitter Las Vegas… et d'oublier la jeune femme aux yeux d'émeraude qui lui a fait tourner la tête avant de l'éconduire. Mais alors que Keir, absorbé par le lancement de son entreprise, recrute sa nouvelle équipe, voilà qu'une candidate envoyée par une agence de recrutement se présente au domaine du Cerf. Une jeune femme aux yeux verts qui, hélas, n'a rien d'une inconnue pour Keir…

Pour en savoir plus, plongez-vous sans attendre dans le premier volet de cette captivante saga… sans oublier, bien sûr, les autres romans Azur de ce mois-ci !

Excellente lecture, et bonnes vacances à celles qui partent !

A partir du 1er juillet,

Découvrez la passionnante
saga de Sandra Marton

Saga des
O'Connell

Ce mois-ci, faites la connaissance de la famille
O'Connell – six frères et sœurs d'origine
irlandaise dont le succès en affaires va de pair
avec une vie sentimentale aussi intense que
passionnée !

Retrouvez chaque mois cette grande fresque
familiale.

La saga des O'Connell
Un roman inédit chaque mois
du 1er juillet au 1er décembre.

Une liaison ardente

CATHY WILLIAMS

Une liaison ardente

COLLECTION AZUR

éditions **Harlequin**

Cet ouvrage a été publié en langue anglaise sous le titre :
HIS VIRGIN SECRETARY

Traduction française de
FLORENCE JAMIN

HARLEQUIN®

est une marque déposée du Groupe Harlequin
et Azur ® est une marque déposée d'Harlequin S.A.

Toute représentation ou reproduction, par quelque procédé que ce soit, constituerait une contrefaçon sanctionnée par les articles 425 et suivants du Code pénal.
© 2004, Cathy Williams. © 2005, Traduction française : Harlequin S.A.
83-85, boulevard Vincent-Auriol, 75013 PARIS — Tél. : 01 42 16 63 63
Service Lectrices — Tél. : 01 45 82 47 47
ISBN 2-280-20410-X — ISSN 0993-4448

1.

Bruno Giannella arriverait de New York d'une minute à l'autre. Cette fois, Katy savait qu'il lui serait impossible de l'éviter en s'éclipsant sous un quelconque prétexte comme elle le faisait d'habitude.

Pour tout dire, Bruno Giannella la terrifiait… et cela, depuis leur première rencontre.

Voilà dix-huit mois, il l'avait convoquée dans son bureau pour faire sa connaissance, soucieux de jauger la personne qui allait dorénavant s'occuper de ce parrain qui lui était si cher. Il n'en avait que pour quelques instants, avait-il déclaré en préambule, mais ce n'est qu'une heure et demie plus tard qu'il lui avait enfin rendu sa liberté. La mine sévère, l'air méfiant, il l'avait soumise à un feu nourri de questions, et Katy l'avait quitté avec la conviction que moins elle le verrait, mieux elle se porterait…

Depuis lors, elle était devenue experte dans l'art de s'évanouir dans la nature dès qu'il annonçait sa visite chez son parrain. Par bonheur, ses apparitions — assez rares — étaient toujours planifiées à l'avance. L'imprévu ne faisait pas partie de l'existence de Bruno Giannella, comme l'avait vite compris Katy : chaque minute de ses journées était rentabilisée, à la seconde près. Aussi avait-elle amplement le temps de programmer une course urgente à la ville voisine ou une sortie quelconque, imaginaire ou pas, dès qu'il téléphonait pour avertir de sa venue. Au mieux, elle ne le voyait pas du tout, au pire elle échangeait quelques mots polis avec lui avant de prendre la poudre d'escampette, soulagée de se soustraire à cette présence aussi intimidante que déstabilisante.

Mais cette fois, les choses ne se dérouleraient pas ainsi, car la situation était exceptionnelle. En effet, Joseph, le parrain de Bruno, avait été hospitalisé d'urgence la veille pour une menace d'infarctus. Le premier choc passé, et dès que l'ambulance avait quitté la maison, Katy avait tenté de prendre contact avec son filleul pour le mettre au courant des événements. Après de nombreux et infructueux appels à ses différents bureaux de Londres et de New York, elle avait réussi à le joindre sur son portable par l'intermédiaire de son assistante personnelle. Il l'avait accueillie fraîchement, l'accusant à mots couverts d'avoir tardé à le prévenir, et quand elle avait tenté de lui expliquer ses difficultés pour le joindre, il l'avait interrompue d'un ton abrupt en lui annonçant qu'il prenait le premier avion pour l'Angleterre et qu'il voulait la voir dès son arrivée le lendemain matin. Sa façon de raccrocher sans même attendre sa réponse avait conforté Katy dans l'idée qu'il était l'homme le plus détestable de la terre.

Mais tout détestable qu'il était, il lui faudrait l'affronter, songea-t-elle, le front appuyé contre la vitre, en fixant avec angoisse l'allée de graviers par laquelle il ne tarderait pas à arriver. Après avoir tourné en rond pendant une heure dans la grande maison et fait trois fois le tour du parc, elle s'était postée dans le petit salon pour le guetter, les yeux rivés sur le haut portail qui marquait l'entrée de la vaste propriété de Joseph Giannella. Les quelques minutes qui s'écouleraient entre le moment où la voiture de Bruno Giannella apparaîtrait et celui où il pousserait la lourde porte du hall lui permettraient peut-être de surmonter sa nervosité, avait-elle tenté de se convaincre…

8

Mais le scénario qu'elle avait échafaudé dans sa tête s'effondra comme un château de cartes : le simple fait d'apercevoir le taxi s'engager dans l'allée lui noua instantanément la gorge. Et c'est avec l'enthousiasme d'un condamné montant à l'échafaud qu'elle quitta son poste d'observation pour accueillir le nouveau venu.

Katy ouvrit la porte d'un geste mal assuré au moment où il sortait du taxi d'un air conquérant, et comme à leur première rencontre, elle songea en le voyant que le sort était définitivement injuste. Pourquoi avait-il doté cet homme de tant d'atouts ? Non content d'être infiniment riche et puissant, Bruno Giannella affichait également une insolente beauté, qui chez un autre aurait pu paraître excessive, mais à laquelle sa virilité brute ôtait toute ambiguïté. Avec sa chevelure aux boucles noires, son regard sombre, ses traits nobles et sa mâchoire volontaire qui dénotait l'homme de pouvoir, il était l'incarnation même du séducteur habitué à ce qu'aucune femme ne lui résiste.

Dès le premier instant, cette beauté trop parfaite, cette assurance qui frisait l'arrogance avaient inquiété Katy. Comment savoir ce qu'il pensait vraiment, comment déchiffrer ce que cachaient ce sourire ironique, ce regard sans complaisance derrière les épais cils noirs ? Le simple fait de lui adresser la parole la mettait dans tous ses états. Pourtant, à en croire Joseph, son filleul Bruno faisait la conquête de toute la gent féminine ! Alors pourquoi avait-elle envie de prendre la fuite dès qu'elle se retrouvait face à lui ?

Elle le regarda saisir son luxueux sac de voyage, payer le chauffeur, puis se diriger d'un pas décidé vers la grande demeure. Sa respiration s'accéléra, et elle tenta de se raisonner. Tout antipathique qu'il était, Bruno Giannella n'était pas le diable en personne ! L'affection quasi filiale qu'il portait à son parrain n'était-elle pas la preuve qu'il n'était pas aussi détestable qu'elle le pensait ? Car, à l'évidence, il adorait Joseph, qui le lui rendait bien, d'ailleurs…

Mais au fur et à mesure qu'il montait les marches de son allure souple d'athlète accompli, Katy sentit la nervosité croître en elle inexorablement. Elle allait encore bafouiller, rougir et avoir l'air d'une gourde, songea-t-elle, furieuse contre elle-même.

— Bonjour, Bruno, déclara-t-elle sans oser le regarder dans les yeux. Entrez, je vous en prie…

Katy s'effaça pour le laisser passer. Bruno la gratifia d'un rapide coup d'œil et posa son sac de cuir fauve sur le marbre de l'entrée. Puis il jeta un regard autour de lui, prenant son temps pour mieux se pénétrer de l'atmosphère de cette maison chargée d'histoire, baptisée La Vieille Ecole par le professeur à la retraite qu'était Joseph. Puis il se retourna vers Katy qui, le dos appuyé contre la porte, n'avait pas bougé d'un pouce et semblait pétrifiée.

Il retint un soupir d'agacement : il détestait par-dessus tout les gens qui manquaient d'audace, et encore plus ceux qui n'avaient pas le courage de l'affronter. Et, à l'évidence, Katy West appartenait à la seconde catégorie, la pire, comme il avait eu maintes fois l'occasion de le constater. Ses cheveux châtain clair à la coupe indéterminée lui cachaient à moitié le visage, et ses mains crispées l'une contre l'autre témoignaient de son manque d'assurance. Elle avait l'air apeuré d'un lapin pris au piège, et il était certain que si à cet instant il avait ouvert grand la porte elle se serait enfuie en courant au fond du parc…

— Bonjour, Katy. Il faut que nous discutions de certaines choses, déclara-t-il d'un ton coupant. Je suggère donc d'abord que vous vous désolidarisiez de cette porte à laquelle vous avez l'air collée, et ensuite que vous me suiviez dans le salon. Et si vous nous prépariez du thé, je ne pourrais qu'approuver.

Katy eut un petit sourire crispé et, pour la centième fois, Bruno se demanda ce que Joseph pouvait bien trouver à cette petite souris terrorisée. Depuis dix-huit mois qu'elle travaillait pour son parrain, ce dernier ne cessait de chanter ses louanges. Mais où donc se cachaient cette intelligence subtile et cette étonnante sensibilité dont il lui rebattait les oreilles ? Avec lui, c'est à peine si elle ouvrait la bouche, à tel point qu'il ne se souvenait même plus du son de sa voix.

Katy se dirigea vers la cuisine, et il la suivit, au lieu de s'installer dans le salon.

— Nous n'avons qu'à prendre le thé ici, asséna-t-il en s'asseyant à la grande table de ferme, l'observant remplir la bouilloire et sortir les tasses.

C'était la première fois qu'il se trouvait dans cette maison sans son parrain, et cette pensée lui était infiniment pénible. Il passait son temps à voyager, séjournait dans les plus beaux hôtels, possédait des appartements luxueux à Londres, Paris et New York, mais La Vieille Ecole était son point d'attache, et son parrain le seul être qui comptait vraiment pour lui. Or Joseph était malade, gravement malade...

Il se mit à pianoter sur sa tasse avec des gestes brusques, déterminé à ne pas s'attendrir. Katy West n'avait pas à connaître ses états d'âme...

— Que s'est-il passé exactement ? demanda-t-il brusquement tandis qu'elle emplissait les tasses avant de s'asseoir à son tour. Vous êtes priée de n'omettre aucun détail.

— Eh bien, commença Katy sans lever le nez de sa tasse, c'est arrivé hier, comme je vous l'ai dit au téléphone.

— Serait-ce trop vous demander de me regarder quand vous parlez ? Ce n'est pas votre tasse qui attend une réponse, mais moi !

Elle leva les yeux à contrecœur.

— Il venait de prendre son thé, balbutia-t-elle.

— Son thé ? Il n'avait rien bu d'autre ? Rien mangé ?

— Non, répondit-elle, sans comprendre où il voulait en venir.

— Ne prenez pas cet air ahuri ! Il est important de s'assurer qu'il s'agit bien d'un infarctus, et pas d'un empoisonnement, par exemple. Il aurait pu ne pas supporter un aliment.

— Les médecins ont diagnostiqué un infarctus, précisa Katy. Il n'y a aucune raison de ne pas les croire.

— Admettons, bien qu'ils se trompent parfois. Mais passons.

Il posa sa tasse, desserra le nœud de sa cravate et défit les deux premiers boutons de sa chemise de ses mains puissantes et élégantes à la fois. Katy déglutit nerveusement, fascinée comme si elle observait un animal dangereux prêt à attaquer.

— Joseph a pris son thé, puis goûté une tranche du cake que venait de faire Maggie, expliqua-t-elle, reprenant tout à coup ses esprits. Il a dit que le cake était délicieux, et puis, tout d'un coup, il a décrété qu'il ne se sentait pas très bien et qu'il avait besoin de s'allonger.

La voix de Katy s'étrangla dans sa gorge. Raconter cette scène terrible lui était infiniment douloureux : elle revoyait en effet avec une cruelle précision Joseph devenir blême et porter la main à sa poitrine tandis qu'un rictus de douleur déformait ses traits.

— Vous n'allez pas pleurer, par pitié ! coupa Bruno d'un ton furieux. La situation est déjà suffisamment délicate comme ça !

Katy se redressa et maîtrisa avec peine son émotion.

— Excusez-moi, bafouilla-t-elle. C'était… terrible. Et si inattendu ! Joseph a soixante-dix ans, mais aujourd'hui c'est encore jeune ! Il semblait en pleine forme : rien que la veille nous avions fait une grande promenade avant d'aller inspecter ses orchidées. Il en est extrêmement fier, vous savez, et ne

12

laisserait à personne le soin de s'assurer qu'elles ont la bonne dose d'engrais et d'arrosage.

Elle reposa sa tasse sur la table et croisa les mains sur ses genoux, à l'abri du regard de Bruno.

— Je sais, dit ce dernier d'une voix tendue.

Aucun détail de la vie quotidienne à la Vieille Ecole ne lui échappait, car Joseph lui écrivait chaque semaine une longue lettre qu'il envoyait à ses bureaux de Londres. Si Bruno était en déplacement à l'étranger comme cela était souvent le cas, elle lui était immédiatement faxée. Le jeune homme avait bien essayé de convertir son parrain à l'Internet, qui leur aurait permis de communiquer de manière plus immédiate, mais en vain. Joseph préférait s'en tenir au papier et au stylo, et Bruno avait abandonné tout espoir de recevoir un jour un courriel de sa part. Il aurait parié que le superbe ordinateur portable qu'il lui avait offert n'était jamais sorti de son carton.

Par Joseph, Bruno apprenait donc tout des orchidées, de leurs maladies et de leurs superbes couleurs. Il n'ignorait rien des derniers événements de la petite ville voisine, et surtout il connaissait par le menu les faits et gestes de Katy West, la merveille des merveilles…

— Il y a certainement eu des signes avant-coureurs, suggéra-t-il tout à coup d'une voix sévère.

Il avança le buste vers la jeune femme, appuyant ses coudes sur la table, et elle se recroquevilla aussitôt sur sa chaise comme si elle se trouvait face à un animal menaçant.

— Aucun, répondit-elle. Je vous aurais immédiatement prévenu s'il y avait eu quoi que ce soit d'anormal.

— Vraiment ?

Bruno eut la désagréable surprise de sentir sa voix trembler légèrement. L'inquiétude que lui inspirait l'état de Joseph le déstabilisait, et ce sentiment nouveau le prenait au dépourvu. Il avait si peu l'habitude de ne pas contrôler les événements ! Son enfance difficile lui avait appris que la clé du succès résidait dans la faculté à maîtriser chaque détail de son existence, et depuis son plus jeune âge il avait tenté de mettre en pratique cette maxime. Et il avait réussi, comme en témoignait sa fulgurante ascension professionnelle et sociale. Mais, cette fois, les événements semblaient lui échapper… Joseph allait mal, mais il ne pouvait rien pour lui, et cette impuissance le minait.

— Que voulez-vous dire ? balbutia Katy en lui jetant un regard inquiet.

Il se leva brusquement et se mit à arpenter la cuisine à grandes enjambées.

— Pour dire les choses avec tact, disons que je considère que j'ai manqué d'informations sur l'état de santé de mon parrain…, rétorqua-t-il en fronçant les sourcils. Dois-je vous rappeler que depuis dix-huit mois que vous êtes employée ici, vous ne m'avez rien transmis sur le sujet ? Pourtant, nous étions convenus que vous deviez m'envoyer régulièrement le bulletin de santé de Joseph.

— Je ne vous ai rien transmis parce qu'il était en pleine forme, protesta-t-elle faiblement. Je vous aurais averti du moindre problème, enfin !

Au grand soulagement de la jeune femme, Bruno cessa d'arpenter la cuisine et se rassit, momentanément calmé.

— Comment est l'hôpital ? demanda-t-il tout à coup.

— C'est le plus réputé du canton. J'y suis allée ce matin, le service m'a paru bien tenu, et le chef de clinique m'a assuré que l'état de Joseph était stable. Mais on ne m'a pas laissée le voir…

— L'hôpital est loin ?

— A trois quarts d'heure de route. Tout dépend du trafic, bien sûr. L'interne m'a informée qu'on pourrait rendre visite à Joseph cet après-midi.

— Parfait, dit Bruno. Nous partirons à 16 h 30.

14

Il se dirigeait déjà vers la porte, signifiant à Katy que la conversation avait assez duré, quand elle réalisa tout à coup qu'elle ne lui avait pas posé la seule question qui lui brûlait les lèvres depuis son arrivée. Combien de temps allait-il rester ? Combien de temps cette épreuve allait-elle durer ?

Elle le suivit dans le hall, plus morte que vive. Il saisit son sac de cuir et elle songea tout à coup, pleine d'espoir, que ce bagage était trop petit pour un long séjour.

— Je…

Sa voix s'étrangla dans sa gorge. Jamais elle n'aurait le courage de lui poser cette question !

— Oui ? fit-il en la toisant d'un regard impatient.

— Vous êtes dans votre chambre habituelle, au bout du couloir à droite, murmura-t-elle d'une voix à peine audible. Je vous ai mis des serviettes de toilette. Et…

Elle s'interrompit, se sentit rougir.

Il posa son sac d'un geste excédé et la regarda droit dans les yeux.

— Si vous avez quelque chose à me dire, allez-y ! s'exclama-t-il avec impatience. Que se passe-t-il ?

A son grand désespoir, Katy ne put s'empêcher de bafouiller.

— C'est-à-dire que…, commença-t-elle. Maggie et moi nous demandions si vous… enfin, combien de temps vous resteriez, acheva-t-elle enfin au prix d'un douloureux effort.

Catastrophée, elle vit Bruno froncer les sourcils d'un air courroucé.

— Vous comprenez, ajouta-t-elle alors à la hâte, c'est une question de courses et de repas, rien de plus.

Il haussa les épaules comme si ces détails domestiques n'avaient aucune importance pour lui, reprit son sac et commença à monter les escaliers. Puis il se retourna brusquement vers Katy, toujours plantée au milieu du hall.

— Ne vous souciez pas de moi pour les repas, lança-t-il avant de reprendre son ascension.

Il avait déjà disparu sur le palier quand elle réalisa qu'il n'avait pas répondu à sa question. Cédant à une soudaine impulsion et faisant fi de sa timidité maladive, elle monta à son tour les marches pour le rattraper et le vit pousser la porte de sa chambre, qu'il laissa heureusement ouverte. Elle n'aurait jamais osé frapper...

Hors d'haleine, elle s'arrêta sur le seuil : il était en train de retirer sa cravate qu'il jeta d'un geste las sur le lit. Puis il l'aperçut et fronça les sourcils.

— Quoi encore ? demanda-t-il tout en déboutonnant sa chemise, révélant son cou puissant et une partie de la toison qui recouvrait son torse musclé.

Fascinée, Katy l'observa en silence, incapable de prononcer une parole. Comme elle regrettait d'avoir eu l'audace de le suivre jusque dans sa chambre ! Mais comment aurait-elle pu imaginer qu'il manquerait à ce point de pudeur en sa présence ?

— Qu'avez-vous à me dire encore ? répéta-t-il, excédé.

Elle se ressaisit immédiatement.

— Je voulais juste savoir, commença-t-elle en regardant fixement la pointe de ses chaussures, dans le cas où vous resteriez ici un moment, ce que... ce que vous attendez de moi.

A peine avait-elle prononcé ces paroles qu'elle les regretta. Et s'il leur attribuait une connotation ambiguë ?

— Je veux dire en matière de menus et d'horaires, ajouta-t-elle à la hâte. Joseph et moi avions l'habitude de prendre notre petit déjeuner ensemble. Je...

— Pourquoi cette question ? coupa-t-il d'un ton abrupt.

— Je vous demande pardon ?

Elle releva la tête et s'aperçut horrifiée qu'il avait tout à fait retiré sa chemise. Torse nu, glorieusement mâle avec ses larges épaules et ses impressionnants biceps, il était l'image même de la virilité et ce spectacle affolant acheva de la déstabiliser.

— Pourquoi persistez-vous à vous comporter comme si vous étiez l'employée de maison ? lança-t-il avec une agressivité presque palpable.

— Mais je suis l'employée de maison ! protesta-t-elle.

— Vous savez bien que non, rétorqua-t-il, même si un certain nombre de vos attributions concernent en effet la bonne marche de la maison. Vous êtes avant tout celle qui s'occupe de Joseph, et apparemment il vous tient en haute estime. Je dois avouer que je me suis trompé : je ne pensais pas que vous seriez à la hauteur de la tâche, et pourtant Joseph ne cesse de me chanter vos louanges… Vous voyez que vous n'êtes en rien une domestique, alors cessez de vous comporter comme telle ! Par ailleurs, je vous ai déjà dit de ne pas vous préoccuper de ma présence. Je suis parfaitement capable de me préparer moi-même mes repas si mes horaires ne coïncident pas avec les vôtres. Et je connais Maggie : avec elle, il y a toujours un plat à réchauffer…

— Mais vous êtes si occupé ! Joseph serait désolé d'apprendre que non seulement ses problèmes de santé perturbent vos activités professionnelles, mais qu'en plus nous n'assurons pas l'intendance ! fit observer Katy.

— Il serait encore plus désolé que je ne juge pas utile de lui consacrer un peu de mon temps, précieux ou pas, enchaîna aussitôt Bruno. Avez-vous autre chose à ajouter ? acheva-t-il d'un ton qui laissait clairement entendre qu'elle l'avait assez dérangé.

Katy le regarda avec stupéfaction. Comment pouvait-il lui reprocher son côté servile et, l'instant d'après, s'adresser à elle comme s'il parlait à une fille de chambre qu'il pouvait congédier à sa convenance ?

— Non, répondit-elle dans un souffle.

Il approcha la main de sa boucle de ceinture et Katy ouvrit des yeux horrifiés. Il n'allait tout de même pas enlever son pantalon en sa présence, comme si elle ne comptait pas plus qu'un meuble ou un tableau ! Que faire ? Protester ? L'ignorer ? Elle avait si peu l'expérience des hommes !

A vingt-quatre ans, Katy n'avait eu que deux aventures sentimentales, si dénuées de véritable passion que dans les deux cas l'amourette avait rapidement évolué vers la camaraderie, et qu'elle voyait toujours l'un et l'autre de ses anciens flirts sans qu'il existe la moindre ambiguïté. En tout cas, elle ne les aurait imaginés ni l'un ni l'autre se déshabillant tranquillement devant une inconnue.

— Très bien, asséna-t-il. Dans ce cas, je vous retrouverai dans le hall à 16 h 30.

Sur ce, il se retourna sans plus se soucier d'elle. Katy s'éclipsa si discrètement qu'il ne comprit qu'elle était partie qu'en entendant le bruit léger de ses pas dans le couloir.

« Drôle de fille », pensa-t-il tout en ouvrant son sac pour prendre une chemise propre. Toute effacée et muette qu'elle était, la jeune femme avait néanmoins soulevé un point qui le tracassait depuis déjà un moment : son emploi du temps. Comment concilier la gestion de ses affaires et sa volonté de passer du temps en compagnie de Joseph quand c'était encore possible ? Ces dernières années, il avait été tellement accaparé par son activité professionnelle qu'il le voyait de moins en moins, et il en souffrait. Si Joseph venait à disparaître prochainement, il ne se pardonnerait jamais d'avoir été si peu à ses côtés. Il était le seul homme qui comptait pour lui, celui qui l'avait recueilli adolescent et élevé comme son fils, et tous les contrats de la terre ne valaient pas quelques jours passés à ses côtés si le pire devait survenir.

Depuis son retour précipité de New York, il avait envisagé plusieurs solutions. La première était de travailler depuis ses bureaux londoniens, mais la circulation autour de Londres était si congestionnée que le moindre déplacement en voiture prenait des heures. Or il n'y avait pas d'autre moyen de parcourir la petite centaine de kilomètres qui séparait la City de la propriété de Joseph. S'il voulait vraiment entourer son parrain après sa sortie de l'hôpital, il devrait se résoudre à vivre près de lui. Mais dans quelles conditions ?

Sous la douche, il continua à réfléchir à la question sans parvenir à prendre de décision. De retour dans la chambre, il jeta un coup d'œil à son lit, fut un instant tenté de s'allonger pour récupérer de son voyage, mais écarta aussitôt cette idée. Dormir était certes une nécessité vitale, mais aussi une perte de temps et il n'avait pas pour habitude de rester au lit par plaisir... sauf avec une femme, naturellement. Mais même en galante compagnie il n'était pas du genre à paresser très longtemps sous la couette. Les confidences sur l'oreiller, très peu pour lui !

Tout en s'habillant, il poursuivit ses réflexions, et finit par opter pour une solution. Ce n'était peut-être pas la meilleure, mais elle suffirait pour quelque temps. L'essentiel était d'assurer sa présence auprès de Joseph, se répéta-t-il en descendant l'escalier.

— Jimbo a sorti la Range Rover du garage, annonça Katy.

Elle l'attendait dans le hall, parfaitement ponctuelle... « Un bon point pour elle », nota Bruno mentalement. Voilà qui était de bon augure pour ce qu'il avait en tête.

Cette fois, la jeune femme se força à le regarder franchement, et ne fut pas déçue... Il avait troqué son costume d'homme d'affaires pour une tenue moins protocolaire, pull en cashmere noir, veste de daim négligemment jetée sur les épaules et pantalon de toile mastic. La quintessence du chic décontracté, songea-t-elle admirative. Juste ce qu'il fallait d'élégance dans le choix des matières et des couleurs, avec une discrétion de bon aloi même s'il était évident que chacun de ses vêtements avait dû coûter une petite fortune.

L'antithèse de sa propre tenue, songea-t-elle tout à coup, vaguement mal à l'aise. Avec sa jupe beige à la coupe indéterminée qui lui arrivait à mi-mollets, son pull-over marron distendu et sa veste noire en velours râpé, elle devait avoir l'air d'un sac de pommes de terre à peine amélioré... Elle portait ce genre de vêtements toute l'année et s'en trouvait fort bien, mais, face au play-boy qu'était Bruno Giannella, elle prenait soudain cruellement conscience de son manque d'élégance.

— Jimbo ?

— Oui, Jim Parks, le jardinier et homme à tout faire de la maison. Vous l'avez déjà rencontré.

— Si vous le dites, murmura Bruno avec indifférence.

— Quoi qu'il en soit, la voiture nous attend. Vous souhaitez peut-être que je conduise ?

A son grand déplaisir, il accepta. Pourtant, elle adorait conduire d'ordinaire et se rendait régulièrement à la petite ville voisine pour faire des courses ou accompagner Joseph. A plusieurs reprises, et malgré sa réticence, il l'avait même convaincue d'utiliser la voiture pour aller voir ses parents en Cornouailles. Mais conduire seule ou en présence de Joseph était une chose, avoir Bruno Giannella comme passager en était une autre, songea-t-elle en démarrant, la mort dans l'âme.

Elle enclencha la seconde, terriblement mal à l'aise sous le regard critique de Bruno qu'elle sentait posé sur elle. C'était comme passer son permis de conduire une deuxième fois, songea-t-elle, atterrée, voire pire encore. Rien à voir en effet entre son examinateur d'alors, un homme charmant d'une cinquantaine d'années qui avait tout fait pour la mettre en confiance, et cet arrogant personnage qui, elle en était certaine, ne se gênerait pas pour la critiquer si par malheur elle n'accélérait pas au moment où il le jugeait opportun.

20

Elle était si crispée sur son volant qu'elle répondit à peine aux questions qu'il lui posait sur ses sorties du week-end. Pourquoi se sentait-il obligé de lui faire la conversation, se dit-elle agacée, alors qu'à l'évidence rien de ce qui la touchait ne pouvait l'intéresser ?

Ils approchaient de l'hôpital quand il aborda le seul sujet qui lui importait.

— Vous savez, j'ai réfléchi à ce que vous m'avez dit.

— Sur quoi ?

— Sur la réaction de Joseph s'il apprend que j'ai délaissé mes activités professionnelles à cause de lui, commença-t-il.

Katy détourna un instant les yeux de la route pour lui jeter un regard stupéfait. Bruno Giannella avait réfléchi à quelque chose qu'elle avait dit, elle ! Pour une nouvelle, c'était une nouvelle !

— Je suis certaine qu'il en sera très perturbé, confirma-t-elle en dissimulant sa surprise.

Elle retint un sourire à la pensée des paroles qu'il allait prononcer à présent, et qui la réjouissaient déjà. Car, à l'évidence, il s'apprêtait à lui annoncer son départ… Mais avant d'en arriver là, il tenait apparemment à se lancer dans de grandes explications pour se déculpabiliser. Elle était tellement ravie à l'idée qu'il allait s'en aller qu'elle était toute prête à l'écouter, et même à lui donner l'absolution s'il y tenait !

— Joseph est très orgueilleux, et il détesterait l'idée de vous compliquer l'existence, ajouta-t-elle. Il sait combien votre travail compte pour vous… Vous avez un appartement à Londres, n'est-ce pas ?

— Oui, confirma-t-il distraitement. Vous auriez dû me dire combien il était difficile de se garer dans cet hôpital. Voilà cinq minutes que nous tournons sans dénicher une place ! Si vous m'aviez prévenu, nous aurions pris un taxi !

— Vous allez voir, nous allons trouver, assura Katy. C'est juste une question de patience…

Bruno haussa les épaules, agacé.

— La patience est une vertu totalement surévaluée à mes yeux, fit-il observer. Plus vous attendez, plus vous risquez de voir les opportunités vous filer sous le nez ! Si j'avais été patient, j'aurais perdu la moitié des contrats qui m'ont permis d'arriver là où je suis aujourd'hui…

— Nous ne parlons pas d'un contrat, enchaîna Katy sans se laisser impressionner, mais d'une simple place de parking. Vous voyez, ajouta-t-elle en désignant de la tête une voiture qui libérait une place, je vous avais dit qu'il suffisait d'attendre.

— Soit, admit-il de mauvaise grâce. Mais revenons-en à mon emploi du temps.

— Ne pourrions-nous pas poursuivre cette discussion après avoir vu votre parrain ? suggéra Katy.

La joie de retrouver Joseph après ces heures de terrible inquiétude l'empêchait de s'intéresser à tout autre sujet. En effet, presque à son insu, le vieil homme avait pris dans sa vie une place essentielle. Enfant unique, elle avait toujours su développer un lien particulier avec les plus âgés, et Joseph avait immédiatement fait sa conquête avec ce mélange d'intelligence, de modestie et de gentillesse qui n'appartenait qu'à lui. Elle se sentait plus à l'aise avec lui qu'avec ses propres grands-parents, aussi bien quand ils s'engageaient dans une discussion passionnée que quand ils passaient la soirée à lire dans le salon, chacun dans son fauteuil, nullement gênés par le silence, tout simplement heureux d'être ensemble.

A cet instant, elle éprouvait donc le besoin de se concentrer sur cette entrevue qu'elle avait tant espérée mais qu'elle redoutait déjà. Dans quel état serait Joseph ? Pourrait-il lui parler ? Parviendrait-elle à le réconforter ? Mais Bruno l'interrompit dans ses pensées. Il semblait décidé à ne pas la laisser en paix…, conclut-elle avec agacement.

— Non, reprit-il d'une voix décidée. Autant mettre les choses au point tout de suite.

Il poussa la porte vitrée et s'effaça pour la laisser pénétrer la première dans le grand hall de l'hôpital.

— Si nous nous installions à une table avec un café pour parler tranquillement ? suggéra-t-il en désignant la petite cafétéria au fond du hall. Rassurez-vous, ce ne sera pas long. J'ai moi aussi hâte de voir Joseph.

Katy prit son mal en patience. Après tout, pour entendre Bruno lui annoncer que ses affaires l'appelaient et qu'il devait repartir à Londres, elle pouvait bien se résoudre à quelques sacrifices…

Bruno saisit un plateau.

— Que prendrez-vous ? demanda-t-il.

Katy, qui pensait avec émotion à Joseph seul dans sa chambre, tarda à répondre.

— Ho ! Je vous parle ! lança Bruno, impatienté. Vous boudez ou vous n'avez pas soif ?

— Excusez-moi, bredouilla-t-elle, confuse. Je prendrai un café.

— Avec une tranche de cake ?

— Non, merci, je n'ai pas faim.

Il lui lança un regard soupçonneux.

— Vous n'avez que la peau sur les os, fit-il observer, péremptoire. Vous êtes sûre que vous vous nourrissez assez ? Joseph a si peu d'appétit, j'espère qu'il ne vous a pas contaminée !

Tout en parlant, il se planta devant la machine à café et appuya sur le bouton sous l'œil stupéfait de Katy. Comment osait-il faire allusion à cette maigreur qu'elle ne supportait pas elle-même ? A son grand regret, elle avait gardé l'allure filiforme d'une petite fille ; à la puberté, elle avait vu avec envie ses amies s'arrondir et arborer avec fierté des poitrines généreuses alors que ses seins haut placés restaient modestes. A l'âge où les adolescentes exhibent avec fierté leur nouveau corps de femme, elle avait donc choisi de se cacher. Dès quinze ans, elle portait déjà ces vêtements informes qui masquaient sa silhouette, au grand regret de ses parents qui ne cessaient de lui répéter avec amour qu'elle était jolie. Mais comment les croire ? Ils étaient si peu objectifs qu'ils l'auraient trouvée ravissante même si elle avait eu un bras et trois jambes…

— Mais je mange tout à fait correctement, protesta-t-elle faiblement.

— Vous devriez faire du sport, affirma Bruno.

Si seulement il pouvait la laisser en paix ! songea Katy, de plus en plus agacée. En quoi sa morphologie avait-elle le moindre intérêt pour lui ?

— Je n'en ai peut-être pas l'air, mais je suis musclée, je vous assure, déclara-t-elle d'un ton pincé.

Il sembla réaliser tout à coup qu'il avait peut-être été un peu loin.

— C'est possible après tout, admit-il avec un haussement d'épaules qui en disait long sur le peu d'intérêt qu'il éprouvait en fait pour le sujet. A vrai dire, avec cette manière étrange que vous avez de vous dissimuler derrière vos vêtements, on ne voit de toute façon pas grand-chose… Asseyez-vous à cette table, je vais payer et je vous rejoins.

Tout en se dirigeant vers la caisse, il réfléchit de nouveau à Joseph, et à son travail. La solution qu'il avait imaginée pour concilier les deux était la seule viable, même si elle risquait de déplaire à Isobel Hutton Smith, sa petite amie depuis quelques mois. Isobel avait déjà du mal à accepter ses incessants déplacements professionnels, alors comment réagirait-elle quand il lui annoncerait qu'il s'installait pour une durée indéterminée dans la campagne anglaise au chevet d'un vieillard cardiaque ?

Mal, c'était certain… Et inutile d'imaginer qu'elle quitterait son appartement avec plaisir pour venir le retrouver de loin en loin ! Dès qu'elle s'éloignait de son trépidant univers citadin, de ses boutiques de luxe et de ses dîners mondains, elle dépérissait. Par ailleurs, Bruno avait parfaitement compris aux allusions de plus en plus appuyées d'Isobel que l'idée du mariage lui trottait dans la tête, et qu'elle verrait d'un fort bon œil qu'il lui fasse sa demande.

Ce qui n'était nullement dans ses intentions pour l'instant… Il avait jusque-là réussi à éluder la question quand Isobel se mettait à parler bébés et diamants avec des œillades langoureuses, mais la maladie de Joseph l'avait fait réfléchir. Et si le moment était venu de s'engager, de fonder une famille, de cesser de papillonner ? s'interrogea-t-il en tendant un billet à la caissière. Et si Isobel était la femme qui lui convenait ? Elle était belle, parfaitement bien élevée, d'un excellent milieu social et ferait certainement une parfaite épouse…

Il se dirigea vers la table où Katy avait pris place et remarqua que la jeune femme enlevait d'un revers de main les miettes laissées par le consommateur précédent. « Quel endroit détestable ! » pensa-t-il en s'asseyant à son tour, chassant de son esprit d'éventuels projets de mariage. Chaque chose en son temps : son travail d'abord, sa petite amie ensuite… Sa priorité aujourd'hui était Joseph.

2

— C'est à se demander si cet endroit est nettoyé de temps en temps, fit observer Bruno d'un ton dégoûté en disposant les tasses.

— Ce n'est qu'une cafétéria d'hôpital, repartit Katy. Mais j'ai enlevé la plupart des miettes, ajouta-t-elle à la hâte.

Il lui lança un regard agacé.

— Vous n'avez pas à vous excuser pour l'état de cette table ! s'exclama-t-il. Vous n'y êtes strictement pour rien si les employés chargés du nettoyage sont notoirement incompétents.

Katy préféra garder le silence et plongea le nez dans sa tasse de café. Pas de danger que les employés de Bruno Giannella, eux, se permettent la moindre défaillance, conclut-elle en son for intérieur. Ils devaient être immédiatement rappelés à l'ordre, sinon renvoyés sur-le-champ !

Elle n'arrivait pas à comprendre comment deux personnalités aussi différentes que Joseph et son neveu pouvaient partager une telle complicité. L'arrogance et la dureté de Bruno Giannella n'avaient d'égales que la gentillesse et la douceur de son parrain. Certes, elle savait par Joseph que l'enfance difficile de Bruno pouvait être considérée comme un facteur explicatif... Ayant perdu son père à l'âge de trois ans, sa mère dix ans plus tard, Bruno avait eu le triste privilège d'être envoyé en pension très tôt, et avait été en butte lors de ses séjours à la maison aux brimades de deux beaux-pères successifs qui considéraient d'un mauvais œil ce petit garçon aussi agité que brillant.

Sa vie avait changé à la mort de sa mère, quand il avait été confié à son parrain. Vieux garçon, Joseph s'était aussitôt pris d'affection pour cet adolescent à la curiosité toujours en éveil, au charme détonant, et à l'intelligence aiguë. Et pour la première fois de sa vie, Bruno s'était senti aimé…

Katy avala avec peine une gorgée de café insipide. Elle avait beau essayer de chercher des excuses à Bruno Giannella, elle ne parvenait pas à éprouver pour lui la moindre indulgence.

— Qu'alliez-vous me dire à propos de votre travail ? demanda-t-elle pour rompre le silence.

— Je voulais vous annoncer ma décision de ne pas retourner à New York dans l'immédiat, du moins tant que l'état de santé de Joseph reste préoccupant. La première solution qui m'est venue à l'esprit était de travailler depuis mes bureaux londoniens en habitant mon pied-à-terre de Chelsea, mais après réflexion j'ai changé d'avis. Je risque de passer des heures bloqué dans les embouteillages chaque fois que je viendrai voir Joseph, et, comme vous avez dû le comprendre, je déteste perdre mon temps. J'ai donc décidé de m'installer et de travailler à la maison jusqu'à nouvel ordre.

Katy blêmit. Elle devait avoir mal compris.

— La maison ? Quelle maison ? balbutia-t-elle.

Il la dévisagea comme si elle était simple d'esprit.

— Voyons, Katy, de quelle maison voulez-vous qu'il s'agisse ?

— Vous voulez dire, celle de Joseph ? articula-t-elle avec difficulté.

Un vertige la prit et elle remercia le ciel d'être assise. L'idée de cohabiter avec Bruno Giannella lui paraissait si épouvantable qu'elle se sentait au bord de l'évanouissement.

— Exactement, claironna-t-il. Finissez donc votre café, nous n'allons pas discuter de ça tout l'après-midi !

Katy resta figée. Bien sûr, elle avait déjà envisagé toutes sortes de techniques pour éviter au maximum Bruno Giannella pendant sa visite, mais elle était convaincue que celle-ci ne se prolongerait pas au-delà de quelques jours. Et voilà qu'il lui annonçait un séjour d'une longueur indéterminée ! Elle n'y survivrait pas !

Il ne sembla pas remarquer sa pâleur, ses grands yeux affolés, son souffle court.

— De plus, j'ai pensé que vous pourriez travailler pour moi, poursuivit-il comme s'il s'agissait d'une évidence. Même si cette solution est loin d'être idéale ! En effet, j'aurais préféré une assistante plus expérimentée, mais vous êtes là, qui plus est inoccupée en l'absence de Joseph, alors… Vous vous débrouillerez, j'en suis sûr ! De toute façon, je ne peux absolument pas demander à ma secrétaire, mariée et mère de deux enfants, d'abandonner sa famille pour me suivre, même temporairement !

Il lui lança un bref coup d'œil et remarqua tout à coup sa mine déconfite.

— Ne faites pas cette tête-là, voyons ! lança-t-il en se levant. Je ne mords pas, vous savez !

Katy comprit alors que l'entretien était clos. Bruno ne lui avait même pas demandé son avis, tant il la considérait comme quantité négligeable. Il avait pris sa décision, elle n'avait qu'à obtempérer. Elle était son employée, et à ce titre elle lui devait obéissance : n'était-ce pas ainsi qu'il voyait les choses ?

Partagée entre l'abattement et la colère, Katy le suivit sans un mot. Il traversa les couloirs d'un pas décidé, attirant l'attention des infirmières qui se retournaient sur son passage, visiblement sous le charme. Ce n'est pas tous les jours qu'elles avaient l'occasion de voir un si bel homme…

Tout en avançant comme un automate, Katy réfléchissait… Plus elle envisageait la situation, plus elle se refusait à se plier aux desiderata de Bruno Giannella. Plutôt mourir que de le côtoyer au quotidien et, pire encore, de l'assister dans son travail ! Accepter sa proposition revenait ni plus ni moins à vivre vingt-quatre heures sur vingt-quatre avec lui, et, cela, il n'en était pas question !

La joie de revoir Joseph la tira momentanément de ses sombres pensées. Les traits du malade étaient émaciés, son teint pâle, mais son sourire timide rassura Katy. Il semblait plus vaillant qu'elle ne l'avait craint. Elle était assise au bord du lit, la main dans celle de Joseph, quand Bruno jugea utile d'annoncer au vieil homme qu'il s'installait chez lui.

— Ce n'est peut-être pas le moment de discuter de cette question, hasarda Katy.

— Je tiens juste à ce que Joseph sache qu'il peut compter sur ma présence, rétorqua aussitôt Bruno, piqué au vif.

— J'espère que tu ne bouleverses pas ton programme pour moi, intervint alors Joseph. Mais je t'avoue que cette nouvelle me rassure. Tu veilleras sur la maison en mon absence… ainsi que sur ma chère Katy, ajouta-t-il en serrant affectueusement la main de la jeune femme.

Katy déglutit péniblement. Elle se débrouillait très bien toute seule, et mieux encore sans Bruno !

— Je n'ai pas besoin qu'on veille sur moi, Joseph, fit-elle observer avec un sourire un peu tendu. J'ai vingt-quatre ans, et je suis parfaitement capable de gérer la maison en votre absence. D'ailleurs, vous n'allez pas tarder à rentrer, j'en suis sûre !

— Vous avez vu les médecins ? demanda Joseph, plein d'espoir.

— Non, comme toujours à l'hôpital, les médecins sont invisibles ! asséna Bruno d'une voix coupante. Mais j'ai exigé de rencontrer l'interne avant de partir. L'infirmière a pour consigne de me prévenir avant qu'il ne commence sa visite.

Joseph et Katy échangèrent un regard qui en disait long sur ce qu'ils pensaient des exigences de Bruno. En homme habitué à tout régenter autour de lui, il considérait comme normal qu'un médecin interrompe son travail et prenne sur son emploi du temps déjà surchargé pour le recevoir au moment exact qui lui convenait !

A l'évidence, il n'imaginait pas un seul instant qu'on puisse ne pas lui céder : il décidait, les autres obéissaient... Il aurait mérité une bonne leçon, songea Katy en imaginant que le médecin le remettrait sèchement à sa place. A cette pensée réjouissante, elle esquissa un sourire.

— On vous dérange, peut-être ? lança alors Bruno avec un regard courroucé. Vous avez l'air ailleurs !

— Je réfléchissais, bredouilla-t-elle, mal à l'aise.

— De toute façon, il est temps de partir, décréta-t-il tout à coup. Nous ne devons pas fatiguer Joseph.

En effet, ce dernier semblait sur le point de s'assoupir. Ils prirent rapidement congé du vieil homme, non sans lui avoir assuré qu'ils reviendraient le lendemain.

— Il a l'air si faible ! s'exclama Katy avec inquiétude lorsqu'ils furent dans le couloir.

— C'est normal, enchaîna Bruno. Vous ne vous attendiez tout de même pas à le trouver en forme après son attaque ! D'ailleurs, permettez-moi de vous dire que je ne vois pas pourquoi vous avez insinué qu'il rentrerait bientôt. Personne ne sait s'il va récupérer et à quel rythme...

— D'après ce que j'ai compris, les médecins sont plutôt optimistes, fit observer Katy.

— A propos de médecins, que fait l'interne ? coupa Bruno avec impatience. Je ne vais pas passer mon après-midi à l'attendre !

Il s'arrêta devant le bureau de la surveillante d'un air belliqueux.

— L'infirmière avait dit une heure, intervint Katy pour le calmer. Il est encore trop tôt… Nous n'avons qu'à nous asseoir et patienter.

Bruno lui jeta un regard chargé d'incompréhension. A l'évidence, personne n'avait jamais osé lui suggérer de s'asseoir et de patienter, et il semblait aussi surpris que si elle lui avait proposé de partir pour la lune…

— Je vais me renseigner, annonça Katy, désireuse d'éviter un esclandre.

Elle se dirigea vers le bureau d'accueil derrière lequel se tenait une charmante infirmière, à laquelle elle demanda quand l'interne commençait sa visite.

— Vous comprenez, le filleul de M. Gionnella est inquiet, expliqua-t-elle.

— Très inquiet, répéta tout à coup Bruno qui s'était glissé derrière Katy sans qu'elle s'en aperçoive. Et très impatient d'obtenir enfin quelques informations… Nous n'avons vu personne jusqu'à présent.

Son ton était glacial, son air menaçant, et l'infirmière s'agita sur son fauteuil, mal à l'aise.

— Je vais biper l'interne, annonça-t-elle aussitôt avec un sourire timide. Asseyez-vous, je vous en prie, ce ne sera pas long, ajouta-t-elle en désignant des chaises le long du couloir.

Bruno et Katy prirent place l'un à côté de l'autre sans échanger un mot. Bruno semblait à bout de patience.

— Vous avez intérêt à me laisser parler à l'interne ! chuchotat-il enfin à la jeune femme d'un air courroucé. J'ai bien l'intention de savoir où en est réellement Joseph, et vous risqueriez de tourner autour du pot… Il faut savoir être direct dans la vie si l'on veut obtenir ce que l'on cherche !

31

Il tapota nerveusement de ses doigts sur sa chaise, et Katy comprit que son agressivité traduisait avant tout une profonde inquiétude. L'état de santé de Joseph l'angoissait autant qu'elle... Cédant à une impulsion soudaine, elle lui posa la main sur le bras dans un geste de réconfort.

Il se dégagea aussitôt d'un air agacé.

— Oh, je vous en prie ! s'exclama-t-il. Je n'ai nullement besoin de votre compassion...

— Vous arrive-t-il jamais de vous laisser aller ? rétorqua-t-elle en lui lançant un regard intrigué. Pourquoi êtes-vous toujours sur vos gardes ?

A peine avait-elle prononcé ces paroles qu'elle les regretta. Il allait certainement la remettre à sa place, et avec raison. Elle le connaissait trop peu pour lui poser des questions aussi personnelles...

— Excusez-moi, bredouilla-t-elle, confuse. Je ne voulais pas me montrer indiscrète. L'état de Joseph me perturbe tant que je ne sais plus où j'en suis. Comme vous, d'ailleurs...

Elle marqua une pause, s'attendant à ce que Bruno continue, mais il garda un silence pesant. Puis, à sa grande surprise, il se mit à parler comme si elle n'était pas là.

— De toute sa vie, Joseph n'a jamais été vraiment malade. J'ai du mal à réaliser qu'il est ici, allongé dans cet hôpital, et que j'attends passivement le diagnostic d'un médecin, murmura-t-il d'une voix sans timbre. C'est étrange comme les gens qui comptent pour vous paraissent invulnérables, n'est-ce pas ? On a stupidement l'impression qu'il ne leur arrivera jamais rien...

Bruno avait l'air si dérouté tout à coup que Katy était partagée entre la stupéfaction et l'émotion. Jamais elle n'aurait imaginé qu'un homme aussi arrogant et sûr de lui puisse manifester ainsi une telle fragilité. Spontanément, elle avait l'envie de le rassurer, de l'apaiser, comme elle l'aurait fait avec un enfant malheureux. Mais, bien sûr, elle se garda d'exprimer ses sentiments : il l'aurait immédiatement remise à sa place. Mieux valait tenter de faire diversion.

— Si vous n'y voyez pas d'inconvénient, j'aimerais que nous reparlions de ce projet de collaboration, avança-t-elle d'une voix timide.

Le regard qu'il lui lança alors la glaça. A l'évidence, son moment de faiblesse était passé, et bien passé… Il était redevenu l'homme d'affaires dur et habitué à imposer sa volonté.

— Il n'y a rien à dire de plus, il me semble ! décréta-t-il d'un ton abrupt.

— Si… Le problème est que je n'ai jamais travaillé comme secrétaire, commença-t-elle.

Il fronça un sourcil.

— Jusqu'ici, vous assistiez Joseph dans la rédaction de ses mémoires, il me semble ?

— Oui, mais…

— Donc vous savez taper à la machine, rédiger, utiliser un ordinateur ?

— Je tape lentement, expliqua Katy. A une certaine époque, je m'occupais de deux enfants. Avant de quitter l'Angleterre, M. et Mme Harrison, leurs parents, ont insisté pour me financer un mois de cours de secrétariat.

— Pourquoi ont-ils fait ça ?

— Ils m'aimaient bien, je crois. Et je voulais faire autre chose que m'occuper d'enfants, même si j'adorais James et Sarah. Alors ils ont eu cette idée.

— Ecoutez, Katy, je ne suis pas ici pour entendre l'histoire de votre vie, coupa Bruno, mais pour comprendre pourquoi l'idée de travailler pour moi semble tant vous déplaire !

Katy s'agita nerveusement sur sa chaise en souhaitant ardemment que l'interne arrive.

— Cette idée ne me déplaît pas, protesta-t-elle sans conviction. C'est juste que… même si j'ai appris à me servir d'un traitement de texte, je n'ai aucune expérience ! Vous savez, avec Joseph, nous travaillons à un rythme très tranquille. Rien à voir avec l'allure de votre secrétaire ! Je suis sûre que vous allez à cent à l'heure, je ne pourrai jamais vous suivre !

Il esquissa un sourire, et elle songea que cette douceur aussi soudaine qu'inattendue lui donnait fugitivement le charme d'un adolescent.

— Et puis je fais des fautes de frappe ! insista-t-elle, chassant cette idée de son esprit.

Comme il ne réagissait pas, elle décida d'enfoncer le clou, dans l'espoir de le faire renoncer à son projet.

— En fait, je passe quasiment autant de temps à corriger mes erreurs qu'à taper, ajouta-t-elle en le guettant du coin de l'œil. Joseph n'y attache aucune importance, car il ne sait même pas comment fonctionne un ordinateur, mais, vous, vous ne le supporteriez pas !

Bruno la dévisagea avec attention, pendant ce qui parut une éternité à la jeune femme.

— Vous ne cessez pas de vous dévaloriser, constata-t-il enfin. Ne trouvez-vous pas que vous exagérez un peu ? Je suis sûr que vous valez beaucoup mieux que ce que vous voulez bien en dire… Et puis, tout s'apprend ! A commencer par l'informatique, bien sûr ! C'est avant tout une question de pratique !

— Détrompez-vous, protesta-t-elle sans conviction, j'ai tout à fait confiance en moi. Sauf dans certains domaines, comme l'informatique, en effet. Pourquoi n'engagez-vous pas une secrétaire par intérim ? Ce serait nettement plus simple !

Ravie d'avoir eu cette idée, elle dévisagea Bruno d'un air triomphant. Contrairement à ses attentes, cependant, il resta dubitatif.

— Et que feriez-vous pendant ce temps ? lança-t-il enfin. N'oubliez pas que vous êtes payée pour travailler au service de Joseph. Tant qu'il sera à l'hôpital, vous serez désœuvrée, et je suis sûr que l'ennui est encore pire que l'informatique ! Au lieu de refuser ma proposition, vous devriez la considérer comme une chance, une chance d'évoluer et d'apprendre autre chose !

Une chance ? songea Katy, effarée. Pas du tout ! Travailler pour Bruno Giannella était tout sauf une chance… Elle était en train d'imaginer d'autres arguments pour tenter de le faire renoncer à son projet, quand l'interne arriva d'un pas pressé.

Après s'être brièvement présenté, Bruno le soumit à un feu nourri de questions auxquelles le jeune praticien répondit de bonne grâce. Au grand soulagement de Katy qui écoutait sans rien dire, le médecin expliqua qu'il n'y avait aucune raison médicale pour que Joseph ne se rétablisse pas. Si tout allait bien, il pourrait sortir dans une quinzaine de jours, et, avec beaucoup de soins et de repos, ainsi qu'une bonne rééducation, cette attaque ne serait bientôt plus qu'un mauvais souvenir. La clé de la récupération de Joseph était la pratique d'un exercice physique régulier.

Visiblement séduit par Bruno, l'interne poussa même la courtoisie jusqu'à lui laisser son numéro de téléphone personnel en cas de problème. Les deux hommes se quittèrent en se serrant la main.

— De l'exercice…, marmonna Bruno dans sa barbe tandis qu'ils regagnaient la voiture. A part une petite marche pour aller inspecter ses orchidées, Joseph n'a jamais fait d'exercice ! Il faudra trouver autre chose…

— Nous trouverons, j'en suis sûre, déclara Katy tandis qu'il démarrait.

Ils s'engageaient sur l'autoroute quand elle songea qu'ils n'avaient pas fini la conversation interrompue par l'arrivée de l'interne.

— Pour en revenir à ce que nous disions tout à l'heure, je n'arrive pas à comprendre comment vous pourrez gérer vos affaires depuis la maison de Joseph, dit-elle. Imaginez qu'il se passe quelque chose… une catastrophe, par exemple ! achevat-elle avec l'impression très désagréable d'avoir l'air stupide.

— Une catastrophe ? releva-t-il avec un sourire ironique. Rassurez-vous, j'ai les moyens d'affronter une catastrophe. D'abord, je ne travaille pas tout seul, et l'Internet me permet d'être en contact avec le monde entier. Et si quoi que ce soit de vraiment important survenait, la maison ne se trouve qu'à une heure de l'aéroport de Heathrow. Je crains que vous ne soyez obligée de trouver un autre argument, Katy, ajouta-t-il avec un clin d'œil presque taquin.

Elle ne put s'empêcher de sourire. Au moins, il avait un certain sens de l'humour…

— C'est vrai qu'aujourd'hui on est connecté au monde entier en temps réel, admit-elle volontiers. C'est le bon côté des ordinateurs…

De nouveau, une angoisse la saisit à la pensée de tout ce que Bruno allait exiger d'elle et qu'elle serait incapable de lui apporter. Comment s'accommoderait-il de ses maladresses ? Allait-il s'énerver, se moquer d'elle, la renvoyer ?

— Je ne pourrais plus m'en passer aujourd'hui, reprit Bruno en la tirant brusquement de ses sombres réflexions.

— De quoi parlez-vous ? demanda-t-elle en sursautant.

— C'est vous qui parliez des ordinateurs, rappela-t-il, agacé.

— Oui, bien sûr ! Excusez-moi…

— Cessez de vous excuser pour un oui ou pour un non, conseilla-t-il d'un ton coupant. C'est une habitude que je supporterai pas longtemps quand vous travaillerez pour moi, je préfère vous avertir.

— Et si je me trompe ? rétorqua-t-elle, paniquée. Il faudra bien que je m'excuse !

Il leva les bras au ciel.

— Vous voyez, vous recommencez ! s'exclama-t-il, excédé. Pourquoi toujours envisager le pire ? Peut-être ne vous tromperez-vous pas ! Et l'Internet, c'est simple comme bonjour ! Comment croyez-vous que je dirige mes bureaux de New York quand je suis à Londres, et vice et versa ?

— Pour être honnête, je suis absolument incapable d'imaginer à quoi ressemble votre vie. Je suis cependant persuadée qu'elle doit être infiniment stressante.

— Le stress bien contrôlé est un moteur, Katy, déclara-t-il alors d'un air grave. Toujours est-il que j'ai décidé de m'installer chez Joseph, et qu'à part une journée à Londres de temps à autre pour régler quelques catastrophes, comme vous dites, je compte bien me consacrer entièrement à mon parrain.

Un silence persistant s'établit dans la voiture. Bruno semblait de nouveau concentré sur sa conduite, tandis que Katy essayait d'accepter l'évidence : malgré tous ses efforts, elle n'avait pas réussi à le convaincre que la choisir comme assistante était une folie. Elle tremblait déjà à l'idée de leur future collaboration…

— Comment allons-nous nous débrouiller pour que Joseph fasse de l'exercice ? lança tout à coup Bruno comme s'il réfléchissait tout haut. Il en aura vite assez d'effectuer le tour du jardin. Mais il est vrai qu'il y a la piscine : la natation est tout à fait indiquée dans son cas !

— La piscine n'a pas fonctionné depuis très longtemps, protesta Katy. Elle est dans un état épouvantable. Vous en êtes-vous déjà servi ?

Tout en parlant, elle eut la brève vision de Bruno en short de bain. Athlète accompli, il devait avoir un corps magnifique…

— Non. Il faudrait la refaire entièrement. Mais plus j'y pense, plus l'idée me paraît bonne. C'est une piscine couverte dont il pourra se servir toute l'année. Bien sûr, il faudra installer un système de chauffage, et refaire le dallage.

— Je vous trouve très optimiste, déclara Katy. La piscine est tellement à l'abandon que la dernière fois que Joseph l'a vue, il a suggéré de la combler pour la transformer en serre !

Bruno lui jeta un bref regard, et elle vit une lueur amusée scintiller dans ses yeux noirs.

— En serre ? Vous plaisantez ! lança-t-il en riant.

Elle rit à son tour, étonnée de ce moment de complicité partagée. Bruno était-il donc autre chose que cet être froid qui l'intimidait tant ?

Il se concentra de nouveau sur sa conduite et son sourire se figea : il était redevenu Bruno Giannella, celui qui décide, qui gère, qui ordonne…

— Je me charge de convaincre Joseph de se mettre à la natation, reprit-il avec sérieux. De votre côté, votre rôle sera de trouver les entrepreneurs capables de remettre le bassin en état le plus rapidement possible. Je serai toute la journée à Londres demain, vous aurez donc amplement le temps d'attaquer le dossier.

— Rapidement ? Mais c'est un travail colossal ! s'exclama Katy. Il y en a pour des mois !

— Vous êtes bien naïve, Katy ! Tout est une question d'argent : si la somme est conséquente, les travaux seront faits en temps et en heure. C'est-à-dire avant le retour de Joseph. Car, bien sûr, il n'est pas question qu'il trouve des ouvriers en revenant à la maison. Il aura besoin d'un calme absolu.

— Je ne suis pas sûre du tout de trouver une entreprise dans de si brefs délais…

— Règle numéro un dans le business, Katy : ne jamais douter de soi. Règle numéro deux : exiger que les autres s'adaptent à vos exigences, et non l'inverse. Si vous établissez dès le départ que le moindre délai entraînera une indemnité de retard, vous serez obéie, n'ayez crainte !

— A vrai dire, je n'ai jamais eu à exiger quoi que ce soit de quiconque, avoua Katy, perplexe.

Bruno sourit.

— Un autre défi à relever ! s'exclama-t-il. Vous serez à la hauteur, j'en suis sûr ! Je parierais que vous allez même vous découvrir des dons pour diriger que vous ne soupçonniez pas ! Bien sûr, il ne faudra rien dire à Joseph. Je veux que ce soit une surprise. Vous devrez tout lui cacher, jusqu'aux chaises longues et au mobilier que vous achèterez pour renouveler le vieux salon de jardin.

Au détour d'un virage, la maison apparut derrière ses hautes grilles. En ce début de printemps, les arbres encore dénudés laissaient apparaître la majestueuse silhouette de la grande demeure, pleine de charme avec son toit d'ardoise, sa véranda ouvragée et son perron entouré de colonnes. Dans quelques semaines, fleurs et feuilles auraient remplacé les bourgeons. Katy se réjouissait déjà de retrouver dans toute sa splendeur printanière le grand parc qu'elle avait si souvent arpenté avec Joseph. Pourvu qu'elle sache mener à bien la rénovation de la piscine ! Bruno la mettait à l'épreuve, et serait le premier à la critiquer si le résultat n'était pas à la hauteur de ses exigences.

— Je serai absent demain, précisa-t-il une fois dans la maison, et notre collaboration commencera donc après-demain. Je me lève tôt et suis à mon bureau dès 7 heures, mais je ne vous attendrai pas avant 8 h 30, rassurez-vous. Je m'occuperai moi-même de mon petit déjeuner. Quant au déjeuner, je me contente souvent d'un sandwich. Bien entendu, vous garderez vos habitudes. La seule chose que je vous demanderai sera de déjeuner rapidement vous aussi les jours de surchauffe. Vous voyez ce que je veux dire ?

— Très bien, murmura Katy, atterrée.

Elle ne voyait rien du tout, mais pour rien au monde elle ne l'aurait avoué. Serait-elle capable de rester efficace tout en suivant le rythme infernal de Bruno Giannella ? Rien n'était moins sûr...

— Ah, j'oubliais ! reprit-il d'un ton distrait. Votre journée de travail finit officiellement à 17 h 30, sauf exception. Quand on est en relation avec l'étranger, il faut souvent s'adapter au décalage horaire.

Il se tut et lui lança un coup d'œil sévère.

— Vous avez des questions ?

Elle retint un sourire amer. A supposer qu'elle en ait, il n'aurait pas pris le temps d'y répondre sérieusement. Pour Bruno, les choses étaient dites : il avait établi la règle du jeu, elle n'avait plus qu'à s'y conformer.

Elle secoua la tête en signe de dénégation.

— Très bien, approuva-t-il d'un air satisfait. J'ai des coups de fil urgents à passer aux Etats-Unis, et ça risque d'être long. Ne comptez pas sur moi pour le dîner, c'est plus prudent. Je grignoterai quelque chose avant d'aller me coucher. A demain, donc.

Katy le regarda s'éloigner sans un mot. Combien de secrétaires confirmées Bruno Giannella avait-il épuisées jusque-là ? Elle préférait ne pas le savoir.

Dieu merci, Joseph rentrerait bientôt, et Bruno partirait enfin, emportant avec lui son stress, son égoïsme et son autoritarisme. Le jour de son départ serait, à n'en pas douter, le plus beau de sa vie...

3.

Depuis la grande fenêtre du salon, Bruno observait Katy. Vêtue d'une veste en velours trop grande, dont elle avait relevé les manches jusqu'aux coudes, et d'une jupe longue qui masquait en partie ses grosses bottes en caoutchouc, elle semblait en grande discussion avec les ouvriers qu'il ne voyait pas, puisqu'ils étaient au fond de la piscine tout juste vidée.

En cette fin d'après-midi, il venait de rentrer de l'hôpital où il avait passé une heure auprès de Joseph.

Pressé de questions par Bruno, le vieil homme avait commencé par émettre quelques critiques discrètes sur la qualité de la nourriture, avant de poser timidement la main sur celle de son filleul.

— J'espère que tu ne vas pas mener une vie d'enfer à ma pauvre Katy, avait-il murmuré d'un air inquiet.

— Une vie d'enfer ? s'était étonné Bruno.

— Tu sais bien que tu travailles plus que de raison, avait déclaré Joseph en soupirant. C'est presque une drogue pour toi…

Le ton vaguement désapprobateur de son parrain avait blessé Bruno.

— Je ne serais pas là où j'en suis aujourd'hui si je passais mon temps à jouer au golf et à prendre des vacances aux Bahamas comme certains P.-D.G. de ma connaissance, avait-il rétorqué néanmoins avec douceur.

A vrai dire, il ne partait quasiment jamais en vacances. De temps à autre, il s'octroyait un week-end de détente au bord de la mer, mais l'inactivité lui pesait vite. Les dernières vacances qu'il avait prises sur l'insistance d'Isobel — une semaine aux Seychelles avec un couple de ses amis — lui avaient semblé durer une éternité, et il avait poussé un ouf de soulagement quand l'avion avait atterri à Heathrow. Il était enfin de retour dans la vraie vie, la seule qui comptait pour lui…

Et si Joseph avait raison ? Si le travail était en effet devenu une drogue pour lui ? songea-t-il tout à coup en fronçant les sourcils.

Repoussant ces questions dérangeantes, il délaissa brusquement la fenêtre, traversa le grand salon et la cuisine d'un pas vif et sortit dans le parc. Katy ne l'avait pas vu arriver, et tout en approchant il l'entendit rire et discuter avec les ouvriers. Elle semblait parfaitement à l'aise, joyeuse presque à en juger par le son de sa voix.

Mais quand, après qu'il eut toussé pour signaler sa présence, elle se retourna vers lui, elle ne souriait pas.

— Ah, vous êtes revenu…, constata-t-elle sans le moindre enthousiasme.

— Oui, mais ça n'a pas l'air de vous faire très plaisir, remarqua Bruno avec aigreur. Je vous dérange ?

— Non, pas du tout, protesta-t-elle, mal à l'aise.

Contre toute attente, superviser la rénovation de la piscine l'amusait beaucoup. Hélas, le simple fait de savoir que Bruno était de retour et qu'il allait immanquablement la critiquer et la soumettre à toutes sortes de questions la glaçait à l'avance. Si seulement il pouvait s'absenter plus souvent !

Il se mit à inspecter le chantier d'un œil inquisiteur et elle suivit. Rassemblant tout son courage, elle lui expliqua les travaux en cours avec toute la précision dont elle était capable.

Les ouvriers s'étaient mis au travail dès le lendemain de son rendez-vous avec le directeur de l'entreprise, et pourtant elle n'avait pas appliqué les recettes de fermeté que lui avait conseillées Bruno. Bien au contraire, elle avait plaidé sa cause avec douceur, jouant sur la corde sensible, insistant sur l'état de santé de Joseph et le besoin qu'il avait de nager dès sa sortie de l'hôpital. Et ça avait marché ! Attendri par cette frêle jeune femme à l'étonnante force de conviction, le directeur avait accepté de déplacer quelques ouvriers d'un chantier moins urgent pour les affecter à la piscine.

Les cinq ouvriers posèrent pelles et pioches pour s'entretenir avec Bruno. Ses questions étaient précises, documentées, et Katy réalisa avec étonnement qu'il connaissait parfaitement le domaine. Visiblement surpris par ce client qui en savait presque autant qu'eux, les maçons se lancèrent dans des explications techniques qui semblèrent satisfaire Bruno.

« Ouf ! » se dit Katy quand ils regagnèrent la maison. Elle n'aurait jamais imaginé qu'il réagirait de façon aussi positive, certaine au contraire qu'il s'ingénierait à trouver à redire à sa gestion du projet. Elle avait passé sans encombre l'épreuve du feu…

— Tout cela est parfait ! déclara-t-il d'un ton satisfait en enlevant sa veste et en la déposant sur une des chaises de la cuisine. Vous avez déniché une équipe hors pair !

Il se tourna vers elle et l'observa en silence. Ses cheveux blond foncé étaient ébouriffés par le vent, et sa mise froissée. Heureusement qu'aucun de ses collaborateurs ou clients ne voyait Katy ! Quelle différence avec ses secrétaires habituelles, toujours tirées à quatre épingles !

— Je ne pensais pas signer aussi vite avec une entreprise, répondit Katy.

— La manière forte marche toujours, affirma Bruno. Je vous l'avais bien dit, non ?

43

— En effet, approuva Katy en se gardant bien de lui avouer qu'elle n'avait pas appliqué ce précepte. Il y a du café au chaud. Vous en voulez ? proposa-t-elle tout à coup.

Il était près de 18 heures. Peut-être souhaitait-il un apéritif ? Elle ne connaissait rien à ses habitudes…

— Joseph a un très bon scotch, ajouta-t-elle. Vous préférez peut-être de l'alcool ?

— Non merci, un café sera parfait.

— Maggie a fait une tourte à la viande et une salade, expliqua-t-elle en remplissant les tasses. Elle voulait rester pour nous servir le dîner, mais je lui ai dit que c'était inutile : je m'en chargerai. Vous n'y voyez pas d'inconvénient, j'espère ?

— Non, pas du tout. Mais, pour l'instant, je n'ai absolument pas faim. Je ne mange jamais aussi tôt !

Elle eut un sourire timide.

— Oui, bien sûr, je suis bête, balbutia-t-elle, confuse. D'habitude, à cette heure-ci, vous êtes encore à votre bureau. Joseph, lui, préfère dîner de bonne heure, ce qui ne me dérange pas. De toute façon, j'avais l'habitude avec les enfants ! ajouta-t-elle en s'asseyant de l'autre côté de la table.

Bruno la dévisagea en silence. A cet instant, avec ses vêtements informes, sa coiffure en désordre et son absence totale de maquillage, elle ressemblait plus à une adolescente mal dans sa peau qu'à une femme de vingt-quatre ans, songea-t-il. Une adolescente à la vie plus que rangée : aucune fille de son âge n'aurait accepté de s'enterrer avec un vieil homme dans ce coin perdu de la campagne anglaise ! Katy, elle, semblait non seulement s'en accommoder parfaitement, mais encore y prendre plaisir. Elle était décidément atypique…

— Vous n'en avez jamais eu assez ? lança-t-il de but en blanc.

Elle lui lança un regard chargé d'incompréhension.

— Assez… de quoi ?

— De cette vie tranquille avec mon parrain. C'est un enterrement de première classe pour une jeune femme comme vous !

Il croisa ses longues jambes sans cesser de l'observer d'un air inquisiteur, et ses grands yeux noirs la troublèrent.

— Non. Je suis d'un naturel plutôt calme, et cette vie me convient. Mais il m'arrive de sortir. J'ai des amis en ville — un couple de professeurs que j'ai rencontrés lors d'une conférence à la bibliothèque.

Décidément, rien de bien excitant, conclut Bruno avec effarement. Des amis professeurs, des visites à la bibliothèque ! Cette Katy était désespérément sage… en apparence tout au moins. Car elle cachait peut-être son jeu.

— Vous n'avez pas d'ami… i ? demanda-t-il en répétant la dernière lettre tout en guettant sa réaction.

Dépitée, Katy se sentit rougir et décida de contre-attaquer. De quoi se mêlait-il ?

— Je ne vois pas en quoi cela vous regarde.

A ces mots, Bruno sourit, ce qui acheva d'exaspérer Katy. Il se moquait d'elle, tout simplement !

— Non, en effet, admit-il volontiers. Votre vie privée ne me concerne en aucune façon. Je m'informe, c'est tout…

Il abandonna aussitôt l'hypothèse de la double vie. La naïveté et l'inexpérience de Katy ne faisaient aucun doute. Il aurait parié que sa vie sentimentale était désespérément calme. En fait, elle était l'antithèse d'Isobel, songea-t-il tout à coup. Sa presque fiancée, experte dans l'art de jouer de sa féminité et de sa beauté, ne percevait pas ses rapports avec les hommes autrement qu'en termes de séduction et de conquête. Katy, quant à elle, semblait tout faire pour ne pas attirer les regards masculins. Comme si les hommes ne l'intéressaient pas, ou, peut-être, lui faisaient peur…

— Comment va Joseph ? demanda Katy, désireuse de changer de sujet au plus vite. Les infirmières que j'ai vues hier avaient l'air très optimistes.

— Il récupère plus vite que prévu, en effet, confirma Bruno. Mais aujourd'hui, il se plaignait de la qualité de la nourriture. Katy sourit avec attendrissement.

— Gourmand comme il est, les petits plats de Maggie doivent lui manquer ! Il va falloir qu'il se mette à un régime plus raisonnable à présent, fit-elle remarquer.

— Oui. Nous aurons du pain sur la planche tous les deux pour lui faire accepter ses séances de natation et l'amener à renoncer à ses plats en sauce ! lança Bruno en riant.

Katy lui rendit son sourire en pensant qu'elle n'avait jamais rencontré un homme aussi dangereusement séduisant. Il alliait un charme fou à une virilité prégnante, et ce cocktail détonant devait faire des ravages, songea-t-elle en détournant les yeux, en proie à un étrange malaise…

Le lendemain matin, quand elle pénétra dans le bureau de Bruno à l'heure dite, Katy ne songeait plus ni à son charme ni à sa virilité…

Il était déjà assis à la grande table de Joseph, derrière son ordinateur portable, et elle perçut les effluves discrets de son eau de toilette. Rasé de frais, ses manches de chemise relevées sur ses bras bronzés, il leva à peine les yeux de l'écran pour la saluer d'un bref signe de tête.

— Entrez, voyons ! lança-t-il agacé, comme elle ne bougeait pas. Installez-vous devant l'ordinateur de Joseph. Je l'ai branché sur cette petite table.

Elle obtempéra en silence. Alors, pendant les dix minutes qui suivirent, Bruno lui fit part d'un flot d'informations et de consignes qui la laissèrent étourdie. Le premier rapport sur lequel elle devait travailler concernait un contrat qui se chiffrait en millions de dollars et portait sur des domaines techniques dont elle n'avait jamais entendu parler. Les subtilités financières étaient pour elle un mystère, et un mot sur quatre employé par Bruno lui était inconnu. C'était encore pire que ce qu'elle avait imaginé, conclut-elle, atterrée.

Quand elle eut fini de taper la première lettre, Bruno se leva pour y jeter un œil. Katy, au supplice, rentra les épaules tandis qu'il parcourait l'écran, penché au-dessus d'elle.

— Je croyais que vous saviez taper, déclara-t-il enfin d'un ton glacial.

— Je vous avais prévenu, bredouilla-t-elle. Je tape très lentement, et je suis fâchée avec l'orthographe.

— En effet, asséna-t-il. Il y a une faute par ligne, ou presque !

— Mais je ne connais pas la moitié de ces termes légaux ! s'exclama-t-elle d'une voix mal assurée. Je n'ai jamais étudié le droit ni l'économie. Comment voulez-vous que je m'en sorte ?

Au bord des larmes, elle s'imagina soudain lui lançant son ordinateur portable à la tête. Mais, à part soulager ses nerfs, cela ne l'aurait pas avancée…

— Vous y arriverez, j'en suis sûr, déclara-t-il en maîtrisant son mécontentement. Commencez par reprendre votre calme et, ensuite, consultez un dictionnaire juridique quand le terme vous est inconnu. Ce n'est pas trop vous demander, j'espère ?

Il retourna derrière son bureau et se replongea dans son travail, au grand soulagement de Katy. Recouvrant peu à peu le contrôle d'elle-même, elle s'attaqua à la relecture de la lettre, tandis qu'il passait des coups de téléphone.

Elle venait juste de finir ses corrections quand elle s'aperçut que Bruno était toujours au téléphone. Mais cette fois, à l'évidence, il ne s'agissait pas d'une communication professionnelle :

sa voix était à peine audible, et il avait tout à coup un ton très personnel, presque intime. Comme s'il faisait des confidences à quelqu'un de très proche. Une femme, de toute évidence, conclut Katy.

Puis il posa le récepteur et se tourna vers elle.

— Vous avez fini ? demanda-t-il.

— Je peux sortir de la pièce si vous voulez être tranquille pour téléphoner, suggéra-t-elle maladroitement.

— Qu'est-ce qui vous fait croire qu'il s'agit d'un coup de fil personnel ?

— Je ne sais pas, bafouilla-t-elle. Une impression. Je suis désolée, car de toute façon ça ne me regarde pas.

— En effet, asséna-t-il sans indulgence. Mais votre intuition était bonne, il s'agissait bien d'une conversation d'ordre privé.

« Curieux… », pensa Katy. Elle aurait détesté qu'on l'entende parler à son amoureux, mais lui ne semblait pas gêné le moins du monde par sa présence. Il n'avait apparemment pas besoin d'intimité.

— Joseph vous parle-t-il parfois de ma vie privée ? demanda-t-il tout à coup.

— Non, pas vraiment, répondit Katy, évasive.

Le soleil matinal qui pénétrait à flots dans la pièce éclairait le profil de Bruno. Avec son haut front, son nez droit et ses lèvres bien dessinées, il avait une extraordinaire allure, songea Katy. En fait, il était en tous points exceptionnel, dans ses défauts comme dans ses qualités !

— Que voulez-vous dire par « pas vraiment » ?

Katy se troubla.

— C'est-à-dire que… il a mentionné plusieurs fois le fait que vous aviez beaucoup de succès auprès des femmes, expliqua-t-elle enfin.

Il sourit.

— Joseph considère que je devrais me fixer, expliqua-t-il. Il va être content, car pour la première fois j'ai l'intention de lui présenter une amie ! Elle nous rendra visite dès qu'il sera sorti de l'hôpital. Je n'ai jamais amené personne ici auparavant, ajouta-t-il.

— Je sais, avoua Katy.

— Depuis des années, Joseph me lance des appels du pied pour que je cesse de papillonner, reprit-il comme s'il se parlait à lui-même. Et cette fois, il se pourrait bien que j'aie trouvé l'âme sœur.

Etonnée à la fois de ses confidences et du ton détaché qu'il employait pour évoquer sa future épouse, Katy ne savait que dire.

— Joseph sera ravi, fit-elle enfin observer.

— Je vois quelqu'un depuis quelques mois, poursuivit-il du même ton étrangement distancé, et le moment est peut-être venu de conclure.

— Parce que Joseph a frôlé la mort et que vous voulez exaucer son souhait ? osa demander Katy.

— Parce que je prends de l'âge, tout simplement. Et parce que Isobel sera une épouse parfaite. Je suis sûr qu'elle lui plaira.

— Si elle vous plaît, elle lui plaira sûrement, acquiesça Katy prudemment. Comment est-elle ? ne put-elle s'empêcher d'ajouter.

— Grande, blonde, très belle. Elle a été mannequin pendant un temps. Son père possède une des plus grosses entreprises d'informatique du pays.

Aucun romantisme dans le ton de sa voix, nota Katy. Jamais on n'aurait pu deviner qu'il parlait de sa future femme, tant son discours semblait dénué d'émotion.

— Le parti idéal, commenta-t-elle enfin pour dire quelque chose. Quand arrivera-t-elle ?

— Quand Joseph sera remis. Bien sûr, je ne le mettrai pas au courant de mes projets à l'avance. Je veux lui donner le temps de faire tranquillement la connaissance d'Isobel sans qu'il sache que je compte l'épouser. Bon ! lança-t-il d'un ton abrupt. Si vous me montriez cette lettre ?

Bruno était ainsi, songea Katy, interloquée, capable de discuter de sa future femme et d'un contrat professionnel avec le même ton neutre. Il aimait certainement cette Isobel puisqu'il allait l'épouser, mais il cachait bien son jeu !

Le reste de la journée, Katy se surprit à imaginer à plusieurs reprises à quoi pouvait ressembler la future femme de Bruno. Une beauté sophistiquée, mondaine, certainement aussi élégante et raffinée que lui. Plairait-elle à Joseph ? Katy le souhaitait de tout cœur, car elle savait avec quelle impatience le vieil homme attendait le mariage de son filleul.

Les jours qui suivirent, elle eut le plus grand mal à tenir sa langue lors de ses visites à Joseph. C'était à Bruno de lui annoncer la grande nouvelle, pas à elle ! Elle se contenta donc de lui parler de ses nouvelles attributions. Curieusement, elle s'habituait bien plus vite que prévu aux tâches que lui confiait Bruno. Après les premiers moments de panique, elle avait compris la façon dont il fonctionnait et, le temps passant, maîtrisait de mieux en mieux le langage juridique. Elle anticipait désormais les demandes de Bruno, connaissait la plupart des dossiers et le nom des clients, et découvrait avec intérêt le monde trépidant des affaires, qui lui avait paru jusque-là plutôt rébarbatif.

Une semaine après le début de sa collaboration avec Bruno, elle constatait avec étonnement qu'elle avait non seulement survécu, mais qu'elle prenait plaisir à travailler à ses côtés !

Pour être parfaitement honnête, elle prenait plaisir à tous les instants qu'elle partageait avec lui. Même leurs dîners en tête à tête qu'elle redoutait tant au départ étaient devenus pour elle un des meilleurs moments de la journée. Ils bavardaient souvent de tout et de rien, et se lançaient aussi dans de grandes discussions. Et, à sa grande surprise, Bruno débattait avec elle sur un pied d'égalité, ce qu'elle n'aurait jamais cru possible. Il s'intéressait à elle, à son passé, à sa famille, et quand il lui posait des questions, elle y répondait franchement, sans se recroqueviller sur elle-même comme elle le faisait au début.

— Vous êtes beaucoup moins réservée que vous en avez l'air ! lui lança-t-il un jour d'un ton surpris comme elle venait de lui raconter une anecdote de son enfance.

Elle rougit brusquement, hésitant sur la façon d'interpréter sa remarque. Mais il lui sourit et elle la prit comme un compliment. Ne lui avait-il pas précisé lors de leur premier entretien qu'il détestait les gens qui n'avaient pas confiance en eux ?

La construction de la piscine avançait à grands pas, et Katy n'en était pas peu fière. Elle avait tout supervisé, depuis le choix de l'entreprise jusqu'au suivi du chantier, et elle avait réussi ! Parfois, elle devait se pincer pour se persuader qu'elle ne rêvait pas, mais les compliments de Bruno ne laissaient pas de place au doute : elle avait fait du bon travail.

En cet après-midi ensoleillé, Katy sifflotait gaiement en quittant l'électricien avec lequel elle venait de passer une heure, quand elle remarqua une magnifique voiture de sport garée devant le perron. Un visiteur pour Bruno, à en juger par le luxe du véhicule…

Elle monta quatre à quatre les marches du perron et s'arrêta net une fois dans le hall. Depuis le salon lui parvenait une voix de femme puis un rire en cascade. Katy se figea : elle aurait parié qu'il s'agissait d'Isobel. Que venait-elle faire ici ?

A pas lents, elle s'approcha de la porte restée ouverte. De la femme assise dans une chauffeuse et qui lui tournait le dos, elle ne voyait que la chevelure d'un blond éclatant. Un verre à la main, appuyé sur le dossier du canapé, Bruno lui souriait en lui parlant. A ce spectacle, Katy sentit un douloureux pincement lui comprimer la poitrine. Elle allait s'éclipser discrètement quand Bruno l'aperçut.

— Tiens, Katy ! Tu n'étais pas à l'hôpital ? demanda-t-il.

La veille au soir, Bruno avait suggéré qu'ils se tutoient. Katy avait aussitôt accepté, ravie de ce qu'elle considérait comme une marque de confiance.

— J'y suis allée en début d'après-midi, expliqua-t-elle, mal à l'aise. J'ai apporté des livres à Joseph.

— Je te présente Isobel, dit Bruno en posant son verre. Mais entre donc !

— Bonjour, bredouilla Katy en avançant dans la pièce à contrecœur. C'était donc votre voiture dans la cour…

Elle s'approcha de la jeune femme et lui adressa un sourire un peu crispé. Comme elle pouvait s'y attendre, la fiancée de Bruno était une vraie beauté — élégante et sophistiquée avec son tailleur dont la jupe à mi-cuisses révélait des jambes fuselées, et son spencer ajusté qui mettait en valeur sa poitrine pigeonnante. Katy eut soudain honte de son jean délavé et de son chemisier vieux de trois ans.

Isobel croisa ses interminables jambes gainées de soie comme pour mieux montrer ses ravissants escarpins en daim beige.

— Oh, vous parlez de mon petit carrosse ! s'exclama-t-elle en faisant voltiger ses cheveux blonds d'un mouvement de tête très étudié. C'est parfait pour se garer à Londres quand je fais mon shopping ! Alors c'est vous la nouvelle secrétaire de Bruno ? ajouta-t-elle en lançant à Katy un regard qui la détaillait de la tête aux pieds. Il m'a tout raconté à votre sujet ! acheva-t-elle avec un rire de gorge.

— Vraiment ? déclara Katy d'un ton distant.

Elle aurait volontiers tourné les talons pour couper court à cette conversation, mais la plus élémentaire politesse le lui interdisait. Qu'est-ce que Bruno avait bien pu raconter à sa fiancée ?

— Il paraît que son parrain vous adore ! reprit Isobel avec un sourire qui laissa apparaître une dentition parfaite. Mais venez donc vous asseoir près de moi ! Bruno, si tu allais nous chercher une tasse de thé ? Comme ça on pourra bavarder agréablement, Kate et moi…

— Katy, corrigea cette dernière.

— Oui, bien sûr ! s'exclama Isobel. A moins que vous ne préfériez un verre de vin blanc ? J'ai apporté plusieurs bouteilles, parce que si je n'ai pas mon drink le soir, je suis toute chose ! Quelle bonne idée, ce dîner à trois, on va pouvoir faire connaissance !

Katy s'efforça de dissimuler son peu d'enthousiasme. Elle n'avait rien de commun avec Isobel, et la perspective de supporter son verbiage pendant toute une soirée ne l'enchantait guère. Mais, là non plus, elle n'avait pas le choix…

Elle fit donc contre mauvaise fortune bon cœur et tenta d'entretenir la conversation plus que poussive. Isobel parlait beaucoup, surtout d'elle-même, apostrophait sans arrêt son fiancé en l'abreuvant de mots doux et de petits gestes tendres. Bruno restait silencieux, ce qui surprit Katy. Pour un homme qui n'avait pas vu sa petite amie depuis longtemps, il n'était franchement pas très démonstratif ! Il est vrai qu'elle l'était pour deux…

Katy s'attendait à ce que Bruno offre l'hospitalité à Isobel pour la nuit, mais il n'en fut rien. Au contraire, c'est lui qui insista pour qu'elle reprenne la route pour Londres.

— Je travaille tôt demain matin, expliqua-t-il, et tu t'ennuierais ici.

Isobel eut la bonne idée d'accepter. Katy n'aurait pas supporté son bavardage incessant au petit déjeuner…

Elle était en train de ranger la vaisselle dans la machine quand Bruno réapparut. Il était allé raccompagner sa fiancée jusqu'à sa voiture.

— Mais pourquoi fais-tu ça ? demanda-t-il, agacé. Maggie s'en occupera demain matin !

— Pourquoi pas ? Comme ça, je mets tout de suite la machine en route.

— C'est gentil pour Maggie, mais il n'en reste pas moins que ce n'est pas ton travail.

— Peu importe mes attributions ! coupa Katy. Je peux bien ranger après avoir dîné, non ?

Elle lui lança un regard à la dérobée et lui trouva la mine bien sombre. Peut-être regrettait-il finalement qu'Isobel ne passe pas la nuit avec lui ? Mieux valait le laisser seul, en conclut-elle, il n'avait sûrement pas besoin de sa compagnie…

— Si tu n'as plus besoin de moi, je vais me retirer dans ma chambre, déclara-t-elle. Je suis fatiguée.

Il lui lança un regard courroucé.

— A 21 heures ? Déjà fatiguée ? Tu as vraiment des habitudes de vieille dame ! Tu ne trouves pas que tu pantoufles un peu trop ?

Katy lui lança un regard offusqué. Jamais il n'avait été aussi blessant avec elle.

— Inutile d'être désagréable, fit-elle remarquer d'un ton sec. Si tu es déçu qu'Isobel soit partie, ce n'est pas ma faute, que je sache ! Pourquoi ne lui as-tu pas dit de rester ? Je suis sûre que Joseph n'y aurait vu aucun inconvénient.

Il haussa les épaules, agacé.

— C'est moi qui ai suggéré à Isobel de rentrer à Londres, rétorqua-t-il aussitôt. Et j'ai bien fait : nous avons une grosse journée de travail demain, et elle ne sait pas s'occuper toute seule.

L'expression de Katy trahit son étonnement.

— Pourquoi ce regard critique ? demanda Bruno, sur la défensive. Si tu as une remarque à faire, vas-y ! Tu sais que je déteste les gens qui n'osent pas dire ce qu'ils pensent !

Il ne la quittait pas des yeux, guettant sa réponse.

— Eh bien, c'est-à-dire… c'est une drôle de façon de parler de sa fiancé, balbutia-t-elle.

— Elle n'est pas ma fiancée.

L'affirmation tomba comme un couperet.

— Mais je croyais que…

— Oui, je sais, j'ai trente-quatre ans, martela-t-il, agacé, il serait peut-être temps que je songe à fonder une famille, et Isobel, en toute logique, sera l'épouse idéale. Il se trouve que, pour l'instant, je ne lui ai rien dit…

Katy garda le silence, mais son expression trahissait sa réprobation. A l'évidence, la jeune femme ne comprenait pas sa façon pragmatique d'envisager le mariage.

Mais comment pouvait-elle comprendre ses sentiments à lui, elle qui venait d'une famille unie ? songea Bruno avec rage. Toute son enfance, il avait été sevré d'affection, et avait assisté, impuissant, au naufrage des deux mariages de sa mère. Rien d'étonnant à ce qu'il ait décidé depuis longtemps que le mariage était une affaire de raison, un contrat que l'on signe avec un partenaire bien choisi au terme d'une étude approfondie. Belle, riche, élégante, Isobel remplissait les critères essentiels qu'il recherchait pour sa future compagne. C'était aussi simple que cela.

— Mais les sentiments ? L'amour ? Qu'est-ce que tu en fais ? s'exclama-t-elle enfin.

— Je ne les oublie pas, protesta Bruno. Isobel est charmante, très charmante ! Tu n'as pas trouvé ? Tu ne l'aimes pas ?

— Bien sûr que si ! assura-t-elle maladroitement. Elle est élégante, sophistiquée, ravissante…

— Et tu penses que tout ça ne suffit pas pour faire une bonne épouse ? coupa-t-il avec impatience.

— Je n'ai jamais dit ça ! s'exclama Katy. Et de toute façon, ce que je peux bien penser n'a aucune importance !

Bruno jeta un coup d'œil à sa montre et Katy comprit qu'il préférait mettre un terme à la discussion : elle l'avait profondément agacé.

— J'ai une téléconférence demain très tôt, et une montagne de dossiers qui m'attend, annonça-t-il. Je ne suis pas sûr que nous aurons fini à 17 heures. Peut-être même aurons-nous du travail après le dîner. Tu n'avais rien prévu, j'espère ?

A regret, Katy répondit par la négative. Voilà qui n'allait pas arranger son image de petite fille sage et casanière ! Isobel, elle, ne devait jamais passer une seule soirée chez elle : elle n'avait cessé de parler de ses invitations mondaines, de ses sorties au restaurant et au théâtre…

— Très bien, asséna Bruno sèchement. Alors à demain, 9 heures.

Elle l'avait certainement vexé, car il quitta la pièce d'un pas vif sans ajouter un mot.

4.

— Pas mal !

Bruno se recula sur son fauteuil et lança à Katy un regard étonné.

— Pas une seule faute, et la mise en page des tableaux est parfaite ! Tu vois, je t'avais bien dit que tu y arriverais !

Katy retint un bâillement. Elle avait travaillé toute la journée sur des dossiers complexes et son dos lui faisait mal. Elle n'en pouvait plus !

— Peut-être, mais quel temps ça m'a pris ! fit-elle remarquer d'un ton découragé.

— Cesse de te dévaloriser ! protesta Bruno. Compte tenu de ta méconnaissance des dossiers, je trouve au contraire que tu t'y es mise très vite !

Katy jeta un regard las autour d'elle. Le petit salon où Joseph et elle prenaient d'habitude leur thé en discutant tranquillement était devenu un bureau encombré de dossiers et de matériel informatique de toute sorte. Le temps où les journées s'écoulaient paisiblement, si semblables les unes aux autres, lui paraissait bien loin. Avec Bruno, tout allait à cent à l'heure : elle avait parfois encore du mal à suivre son rythme.

— On a fini pour ce soir ? demanda-t-elle d'un ton plein d'espoir.

La haute silhouette de Bruno se découpait devant la fenêtre grande ouverte et la brise venue du jardin apportait le parfum délicieux des premières roses. En arrière plan, on apercevait la majestueuse ramure des platanes éclairée par la lumière rasante du soleil à son déclin. Comme il devait faire bon dehors ! songea la jeune femme avec envie.

— Tu en as déjà assez ? s'étonna Bruno avec un sourire. Il est vrai que nous avons beaucoup travaillé aujourd'hui. Mais c'est à cause de mon déplacement à Londres, hier. La prochaine fois, tu viendras avec moi ; tu pourras prendre des notes pendant les réunions et ainsi nous gagnerons du temps au retour.

— Mais je ne suis pas ta secrétaire particulière ! s'exclama Katy dans un cri du cœur.

Bruno lui lança un coup d'œil surpris.

— Non, bien sûr ! répliqua-t-il d'un ton ironique. Sauf que tu tapes à la machine, réponds au téléphone, prépares les dossiers et suis mon agenda. Rien à voir avec les attributions d'une secrétaire particulière, à l'évidence !

— Je fais office de secrétaire de façon temporaire, précisa Katy d'une voix soudain tendue. Quoi qu'il en soit, je n'ai nullement l'intention de t'accompagner à Londres pour tes prochaines réunions !

Bruno la dévisagea avec stupéfaction. Quel changement entre la créature terrifiée des premiers jours dont le manque d'assurance l'agaçait tant, et cette jeune femme presque trop sûre d'elle tout à coup ! A présent, quand ils n'étaient pas d'accord, il avait souvent le plus grand mal à imposer son point de vue…

— Très bien, très bien, marmonna-t-il, battant en retraite. Ce n'était qu'une suggestion.

— Une suggestion qui ne me convient pas du tout, répéta-t-elle.

Katy avait du mal à recouvrer son calme. En effet, autant elle s'était habituée à travailler en tête à tête avec Bruno dans l'univers familier de la maison de Joseph, autant l'idée de se retrouver avec lui dans un contexte étranger la mettait dans tous ses états. Ici, il se montrait patient, attentif à ce qu'elle comprenait ou pas, et elle n'hésitait pas à lui poser des questions quand elle était déboussolée. Mais à Londres, en pleine réunion ! Que se passerait-il si elle perdait le fil de la discussion ? Elle préférait ne pas y penser… Car elle savait pour l'avoir entendu parler au téléphone que Bruno pouvait ne pas être tendre. Si elle ne se montrait pas à la hauteur, il n'hésiterait pas à manifester son mécontentement et elle en mourrait de honte.

— Je te rappelle que tu as employé ces mêmes termes il y a quinze jours quand je t'ai proposé de travailler pour moi, fit remarquer Bruno d'un ton posé. Et c'est aussi ce que tu as dit quand je t'ai demandé de diriger le chantier de la piscine ! Si je n'avais pas insisté, tu aurais tout refusé par peur de mal faire. Avoue qu'aujourd'hui tu ne regrettes pas !

Elle baissa les yeux, agacée. Il avait marqué un point.

— Il est tard, constata-t-il après avoir regardé sa montre. Restons-en là pour aujourd'hui : nous reprendrons cette discussion demain.

Sans elle, il aurait probablement continué, songea Katy envahie d'un soudain sentiment de culpabilité. Ils avaient encore deux dossiers urgents à boucler.

— Je peux taper encore quelques lettres si tu le souhaites, suggéra-t-elle timidement.

Il lui lança un clin d'œil taquin.

— Me prendrais-tu pour un tyran, par hasard ?

Katy ne put s'empêcher de sourire.

— Au contraire, je suis un patron soucieux du bien-être de ses collaborateurs, ajouta-t-il tandis qu'un éclat malicieux s'allumait dans ses yeux noirs. D'ailleurs, il est peut-être tard, mais je te rappelle que nous nous sommes interrompus deux heures dans l'après-midi pour aller voir Joseph ! Et puis au moins comme ça, tu ne t'ennuies pas, ajouta-t-il avec une parfaite mauvaise foi.

— Je ne m'ennuie pas, j'ai des tas de choses à faire ! protesta-t-elle.

— Ah oui ? Quoi donc ?

La jeune femme soupira en haussant les épaules, éludant sa question. Bruno s'agaça de cette réaction, typique de Katy quand elle ne voulait pas lui répondre.

— Tu dois avoir faim, déclara-t-il, sautant du coq à l'âne. J'entends ton estomac gargouiller...

Elle lui lança un regard courroucé.

— Il n'y a pas de mal à avoir faim, poursuivit Bruno. Allez, je t'invite au restaurant.

— Au restaurant ? répéta-t-elle, interloquée.

Il lui aurait proposé de l'emmener sur la lune qu'elle n'aurait pas eu l'air plus surprise.

— Oui, au restaurant, articula-t-il avec une lenteur voulue. Tu sais, là où on mange. Avec moi. Tu comprends, ou tu préfères que je te fasse un dessin ? Et tu ferais mieux de te dépêcher si tu veux te mettre sur ton trente et un, car moi aussi j'ai un appétit d'ogre !

Elle resta muette quelques secondes, tant cette proposition la prenait au dépourvu.

— Mais Maggie nous a préparé un dîner ! protesta-t-elle faiblement.

— On le mangera demain ! Joseph rentre dans deux jours et il y a des choses dont nous devons discuter toi et moi, énonça-t-il avec calme. Ce n'est pourtant pas si extraordinaire d'aller au restaurant avec moi !

— Mais...

Elle s'interrompit, en plein désarroi. Elle s'était difficilement faite à l'idée d'avoir Bruno Giannella pour patron, de cohabiter avec lui, de le retrouver aux repas dans le cadre de cette collaboration forcée, mais ce dîner en tête à tête au restaurant lui paraissait totalement incongru… et lui faisait peur.

— Je te retrouve dans une demi-heure, déclara-t-il sur un ton qui n'admettait pas la contradiction.

Il retourna à son bureau pour chercher un papier sans plus prêter attention à elle. Katy se dirigea d'un pas hésitant vers la porte, puis s'arrêta et toussota nerveusement.

— Oui ? lança Bruno sans lever la tête de ses dossiers.

— Je préfère rester ici ce soir, balbutia-t-elle maladroitement. Nous serons très bien pour discuter.

— Tu refuses mon invitation à dîner ? dit Bruno d'un ton glacial.

Il avait l'air fâché, bien sûr, mais aussi vexé, ce qui étonna la jeune femme.

— Non, pas du tout ! protesta-t-elle, de plus en plus mal à l'aise. C'est juste que… je ne veux pas que tu te sentes obligé…

— Pourquoi me sentirais-je obligé ?

— Parce que je travaille pour toi, parce que…

Il posa brutalement sur son bureau le dossier qu'il était en train de consulter.

— Tu commences à m'énerver sérieusement, Katy ! coupa-t-il en fronçant les sourcils. Je n'avais pas envisagé ce dîner sous cet angle, mais même si c'était le cas, je ne vois pas où serait le mal ! Tu travailles pour moi, je suis content de tes services, et si j'ai envie de te remercier en t'invitant au restaurant, tant mieux, non ?

Cette explication marquée sous le coin du bon sens la rassura. Ses scrupules étaient sûrement exagérés.

— Alors d'accord, déclara-t-elle, soudain apaisée. Je serai prête dans vingt minutes.

Une fois dans sa chambre, elle prit une douche éclair et se planta devant son armoire, enveloppée dans son peignoir. Pour la première fois de sa vie, elle regretta de ne pas avoir une tenue glamour — cela lui aurait permis de prouver à Bruno qu'elle n'était pas seulement la créature casanière et mal fagotée dont il se moquait gentiment. Mais il n'y avait dans son placard ni robe vaporeuse, ni escarpins à talons : elle opta sans enthousiasme pour ce qui lui parut le plus seyant, une jupe noire lui arrivant à mi-mollets et un simple cardigan bleu. D'ailleurs, elle serait beaucoup plus à l'aise ainsi, tenta-t-elle de se convaincre pour ne pas s'avouer qu'elle était déçue. Les rares fois où elle avait osé porter des petits hauts décolletés ou des jupes un peu courtes, elle s'était sentie si gauche qu'elle avait passé une horrible soirée. L'idée même de séduire et de paraître un tant soit peu sexy lui avait toujours été étrangère.

Quand elle retrouva Bruno à l'heure dite, il la dévisagea quelques secondes en silence et ne fit pas le moindre commentaire. Il devait la trouver très mal habillée, pensa-t-elle, mais il eut la décence de ne rien dire.

Il s'était changé, lui aussi. Tout de noir vêtu, il était plus élégant que jamais avec un polo au col ouvert qui dévoilait son cou puissant et le haut de son torse recouvert d'une toison brune, sa veste de cuir négligemment jetée sur l'épaule et son jean qui mettait en valeur ses interminables jambes. Katy réprima un frisson en le voyant, tant sa virilité était troublante. Que lui arrivait-il ? songea-t-elle en se reprenant aussitôt. D'accord, il avait une plastique parfaite, mais ce n'était pas une raison pour défaillir à sa vue comme si elle avait quinze ans !

— Qu'as-tu envie de manger ? lui demanda-t-il quand ils furent installés dans la voiture.

— Je ne suis pas difficile : j'aime tout ! répondit-elle. Tu n'as qu'à choisir !

Il sourit, les yeux fixés sur la route.

— Enfin une femme qui aime manger et qui l'avoue ! s'exclama-t-il, ravi. J'en ai assez de ces créatures éthérées, obsédées par les calories !

Isobel devait être de celles-là, songea Katy. Déprimée dès qu'elle avait pris cent grammes…

— J'ai consulté un des guides de Joseph, reprit Bruno, et je suggère un restaurant italien qui semble excellent. Tu es d'accord ?

— Parfait, dit Katy. J'adore la cuisine italienne.

— Tu connais ce restaurant ?

Katy lui jeta un regard surpris.

— Non. Pourquoi le connaîtrais-je ?

— Parce que tu m'as dit l'autre jour que tu allais de temps en temps au restaurant avec des amis.

— Je vais plutôt dans des pizzerias, expliqua Katy. C'est plus rapide avant le cinéma.

Elle s'abstint de lui préciser que, de toute façon, ses sorties étaient rarissimes…

Bruno stoppa devant une charmante demeure au toit de chaume, agrémentée d'une terrasse fleurie où de nombreux convives étaient déjà installés. Sur les tables en teck brillaient des bougies, et de confortables fauteuils en osier invitaient à s'asseoir. Le tout respirait un luxe aussi discret que raffiné.

— Comme c'est beau ! s'exclama Katy tandis que Bruno lui ouvrait la portière en parfait gentleman. Et si élégant ! Peut-être ne suis-je pas assez habillée ? ajouta-t-elle avec inquiétude.

— Ce n'est pas si chic que ça, la rassura Bruno. Et d'ailleurs, je ne suis pas particulièrement élégant moi-même.

— Peut-être, mais tu es magnifique ! lança-t-elle dans un cri du cœur.

— Magnifique ? releva-t-il en lui lançant un clin d'œil taquin. Rien que ça !

Leurs regards se croisèrent, et elle se sentit rougir lamentablement. Quand donc apprendrait-elle à tenir sa langue au lieu de parler à tort et à travers et de se rendre ridicule ? Bruno, lui, semblait trouver l'incident follement drôle, ce qui acheva de la mortifier. Si Isobel lui avait fait la même réflexion, il aurait certainement été troublé ! C'était toute la différence entre une femme comme elle qui n'attirait jamais les regards masculins, et la fiancée de Bruno aussi belle que sexy… Le jour et la nuit, en quelque sorte !

Le maître d'hôtel les installa à une petite table au bout de la terrasse et ils se plongèrent dans l'étude du menu. Mais, au bout de quelques minutes, Katy sentit que Bruno l'observait et releva la tête, mal à l'aise.

— Pourquoi me fixes-tu ainsi ? demanda-t-elle, soudain sur la défensive.

Il ouvrit de grands yeux étonnés.

— Je te regarde comme un homme peut regarder une femme, expliqua-t-il. Il n'y a rien de mal à ça, il me semble ! J'espère que ce n'est pas la première fois qu'un représentant du sexe fort pose les yeux sur toi, ajouta-t-il d'un ton provocateur. A en juger par ta réaction, on pourrait le craindre…

L'arrivée du serveur venu prendre leur commande coupa court à cet échange, au grand soulagement de Katy. Elle engagea aussitôt la conversation sur un sujet neutre : la piscine. Le chantier arrivait à sa fin et le résultat était à la hauteur de leurs attentes. Joseph pourrait nager dans une eau limpide, fouler un dallage tout neuf et se reposer sur un des confortables transats qui venaient juste d'être livrés.

— Je pense qu'on devrait lui faire la surprise, suggéra-t-elle à Bruno. Prendre prétexte d'une promenade au jardin pour lui faire découvrir les lieux. Il va être ravi, j'en suis sûre ! Bien entendu, il ne faudra pas le laisser nager seul les premières fois. Tu pourras l'aider, peut-être ?

— Oui, tu as raison, il faut que je me trouve un caleçon de bain.

Katy songea à son propre maillot une pièce rangé au fond de son tiroir depuis des lustres et qu'elle n'avait jamais osé porter, même pour prendre le soleil. Complexée depuis l'adolescence par son manque de rondeurs, elle s'ingéniait à dissimuler son corps : au lycée, elle manquait le plus souvent possible les séances de natation. D'ailleurs, elle n'avait pas beaucoup évolué depuis cette période, se dit-elle en songeant à ses vêtements qu'elle choisissait encore très amples.

— Tu m'écoutes ? demanda tout à coup Bruno.

— Désolée, je rêvassais, admit-elle avec un sourire d'excuse. Je suis parfois un peu distraite, comme tu as pu le remarquer. Tu disais ?

— C'est la première fois que j'ai cet effet sur une femme, fit-il observer avec un clin d'œil taquin. D'habitude, elles boivent mes paroles !

Katy ne put s'empêcher de sourire. Bruno avait parfois une façon de se moquer de lui-même qui le rendait infiniment attachant. Plus elle le côtoyait, plus elle s'apercevait qu'il était bien plus que l'être sûr de lui et dominateur qu'il paraissait au premier abord. Son humour et son sens de l'autodérision trahissaient une sensibilité qu'il cachait soigneusement et qui ajoutait à son charme.

— Tu disais ? se contenta-t-elle de répéter, amusée.

— Je parlais d'Isobel. J'envisage de lui demander de venir dimanche pour la présenter à Joseph.

Il marqua une pause et fronça les sourcils devant la mine sombre de Katy.

— Pourquoi cette grimace ? demanda-t-il.

— Je ne fais pas la grimace ! protesta-t-elle, gênée.

— Bien sûr que si ! Je vois bien que cette visite ne t'enchante guère. Peut-être n'apprécies-tu pas Isobel, mais je suis sûr que mon parrain, lui, sera ravi de faire sa connaissance.

Il sera surtout surpris du manque de romantisme de son filleul, corrigea Katy en son for intérieur. Bien que célibataire, Joseph croyait aux valeurs de l'amour. Le détachement avec lequel

Bruno faisait allusion à un éventuel mariage ne manquerait pas de l'inquiéter...

— J'espère qu'il ne va pas croire que tu envisages de te marier juste pour lui faire plaisir, fit-elle observer avec prudence. Il a parfois une intuition redoutable !

Le serveur apporta les assiettes et Katy attaqua vaillamment sa terrine de foie gras.

— Quel appétit ! s'exclama Bruno sans relever sa remarque. Je me demande comment tu peux rester aussi mince, ajouta-t-il en parcourant du regard son buste menu.

Il se demanda tout à coup à quoi ressemblait son corps une fois débarrassé de ces jupes informes et de ces pantalons trop grands qu'elle affectionnait, mais chassa aussitôt cette pensée saugrenue de son esprit. Peu lui importait si Katy avait les hanches rondes ou pas, les seins en forme de poire ou de pomme ! La seule chose qui comptait pour lui, c'était qu'elle s'occupe bien de Joseph...

— Où en étions-nous ? reprit-il tout à coup. Ah oui, nous évoquions la rencontre entre Joseph et Isobel : tu semblais mettre en doute ma capacité à le convaincre qu'elle est faite pour moi.

— Peut-être parce que tu ne te comportes pas toujours comme un homme amoureux...

— Que vas-tu imaginer là ? rétorqua-t-il avec une soudaine agressivité.

— Je te fais part d'une impression, rien de plus, expliqua-t-elle d'une voix timide. Disons que tu n'es pas très... empressé.

Il se pencha vers elle et la regarda droit dans les yeux.

— Que dois-je faire pour changer cette impression ? lança-t-il brutalement. La couvrir de fleurs ? L'entraîner dans ma chambre dès son arrivée pour assouvir ma passion ?

Elle haussa les épaules, à la fois agacée par cette réponse qui n'en était pas une et perturbée de l'imaginer au lit avec Isobel. Nu, il devait être magnifique, songea-t-elle malgré elle.

— Que tu es bête ! s'exclama-t-elle en chassant de son esprit cette pensée hors de propos. Je voulais juste attirer ton attention sur le fait que Joseph t'observera de près. C'est la première fois que tu lui présentes une femme, et il s'attendra naturellement à ce que tu sois amoureux fou ! S'il n'est pas convaincu, il se posera nécessairement des questions.

— Alors que me suggères-tu ? coupa-t-il d'un ton abrupt. A ton avis, comment se comporte un homme quand il est follement amoureux d'une femme ?

— Je ne sais pas, moi !

— Personne n'a jamais été follement amoureux de toi ?

La conversation prenait un tour qui ne lui plaisait pas du tout, songea Katy, mal à l'aise. Pourquoi Bruno essayait-il de lui renvoyer la balle ?

— Là n'est pas le problème, rétorqua-t-elle d'un ton sec. Pour répondre à ta première question, tu pourrais être plus attentif quand elle parle, par exemple.

— Tu veux dire, comme je le suis en ce moment avec toi ?

— Aucun rapport ! protesta vivement Katy. Je suis sûre que tu comprends très bien ce que je veux dire !

Il posa ses couverts d'un geste brusque et fixa Katy avec une soudaine intensité.

— Oui, mais le problème est que même si elle me paraît être l'épouse idéale, je ne suis pas amoureux fou d'Isobel, déclara-t-il avec calme.

Katy ouvrit de grands yeux effarés.

— Ne le dis pas à Joseph ! s'exclama-t-elle. Il en serait malade !

Quant à elle, la nouvelle lui faisait plaisir, elle ne pouvait le nier. L'idée qu'une femme aussi superficielle qu'Isobel tienne Bruno en son pouvoir lui était très désagréable...

— Pour rien au monde je ne souhaite faire de la peine à Joseph, assura alors Bruno d'un air grave.

Il les servit en vin tout en observant la jeune femme. Ses joues avaient rosi, sa peau avait une transparence diaphane, et un éclat lumineux brillait dans ses yeux bleu turquoise. Elle avait un regard incroyablement attirant..., songea-t-il tout à coup avec surprise. Comment ne l'avait-il pas remarqué auparavant ?

Les coudes sur la table, il se pencha vers elle et la dévisagea avec acuité.

— Pourquoi ne me donnerais-tu pas quelques leçons pour que je sois plus convaincant face à Joseph ? suggéra-t-il brusquement. Tu pourrais m'indiquer des trucs pour que j'aie l'air de brûler d'amour pour Isobel. En tant que femme, tu as certainement des conseils à me prodiguer sur la question !

Tout en parlant, il posa la main sur la sienne. Puis il la retourna et, de son pouce, lui flatta doucement la paume sans cesser de la regarder.

Katy fut tellement surprise qu'elle n'eut même pas le réflexe de retirer sa main. Un spasme la saisit et elle se figea, peinant à retrouver son souffle. C'était comme si un courant électrique la traversait de part en part, provoquant en elle une intense et délicieuse émotion. Le contact du pouce de Bruno sur sa paume lui procurait mille sensations nouvelles : l'onde de choc se répercutait jusqu'au bout de ses seins, se propageait au plus profond d'elle-même, jusqu'au cœur de sa féminité... Pantelante, elle se sentit défaillir. Incapable de soutenir le regard de Bruno, elle détourna les yeux, avant de reprendre brusquement le contrôle d'elle-même. Elle retira sa main.

— A en juger par ta réaction, ce n'est pas la bonne tactique, constata-t-il alors d'un ton distant qu'elle eut du mal à interpréter. Peut-être n'étais-je pas assez démonstratif ? J'aurais dû te caresser la joue plutôt que la main ?

Il faillit ajouter : « tu veux qu'on essaie ? », mais s'arrêta à temps. Mieux valait ne pas jouer avec le feu : Katy avait sur lui un drôle d'effet. Ce simple contact l'avait ému en éveillant sa libido comme l'aurait fait une caresse plus intime. La chasteté ne lui valait rien, songea-t-il, perplexe. La visite d'Isobel allait lui faire du bien…

— Arrête ! lança Katy d'une voix étranglée. Il ne s'agit pas d'un jeu, Bruno.

— Tu as raison, mais ce n'est pas la peine de prendre cet air scandalisé, rétorqua-t-il. Je te taquine, c'est tout !

— Je tiens juste à te faire remarquer que je suis une personne, pas un mannequin avec lequel tu peux t'exercer. Je ne trouve pas ça drôle du tout que tu disposes de moi comme si j'étais ta fiancée ! J'exige que tu cesses immédiatement !

Bruno resta un instant bouche bée : personne jusqu'ici ne lui avait jamais parlé sur ce ton ! A vrai dire, il ne comprenait pas la réaction de Katy. Pourquoi refusait-elle ce petit jeu sans conséquence ? Toutes les femmes de sa connaissance auraient trouvé cette comédie plutôt amusante, il en était persuadé. Mais Katy, elle, semblait réellement blessée, comme en témoignait son expression tendue.

— Très bien, je m'excuse, déclara-t-il alors. Je n'y mettais aucune mauvaise intention. Désolé si je t'ai heurtée.

Ce mea culpa ressemblait si peu à Bruno qu'il n'en avait que plus de valeur, et Katy lui pardonna immédiatement. Elle s'apaisa soudain, et la tension qui vibrait en elle depuis que Bruno l'avait touchée s'évanouit enfin. Soulagée, elle eut l'impression de reprendre possession d'elle-même. Mais jamais elle n'oublierait la violence déroutante des sensations qu'il avait déclenchées en elle.

Le calme était revenu : ils se mirent à bavarder de choses et d'autres comme ils le faisaient d'habitude. De fil en aiguille, Bruno en vint à évoquer son enfance et ses années de pensionnat. L'arrivée du serveur qui leur apportait un feuilleté aux framboises l'interrompit.

— Désolé de t'ennuyer avec mes histoires, dit Bruno quand celui-ci fut parti. Tu es la première à laquelle je raconte mes souvenirs de pensionnat.

— Tu ne m'ennuies pas du tout, au contraire ! protesta Katy dans un cri du cœur. La seule façon de connaître quelqu'un, c'est de l'entendre parler de son enfance, tu ne trouves pas ? Et la tienne est passionnante ! Alors que moi, si je te racontais mes jeunes années, je suis sûre que tu ronflerais au bout de quelques minutes…

Il lui sourit et elle fut frappée par la noblesse de ses traits, que soulignait la lumière dorée de la bougie. Un peintre aurait aimé dessiner sa bouche aux lignes pures, l'arête fière de son nez, son front majestueux, songea-t-elle, troublée.

— Le bonheur n'est jamais ennuyeux, souligna-t-il avec une gravité soudaine. Tu as eu une enfance choyée, des parents aimants. C'est ce qui t'a fait telle que tu es…

Elle posa sa tasse de café et leva les yeux vers lui d'un air interrogateur.

— Et je suis comment ? demanda-t-elle après un silence.

Etait-ce l'effet des deux verres de vin, du doux halo de la flamme, de l'écoute attentive de Bruno ? Jamais elle ne s'était sentie aussi en confiance.

— Non, ne dis rien ! reprit-elle brusquement. Je ne veux pas savoir.

— Pourquoi ? demanda-t-il avec un étonnement amusé.

— Parce que tu vas me trouver un nombre incalculable de défauts, c'est sûr ! Tu n'y peux rien, c'est dans ta nature de critiquer, même si tu ne t'en rends pas compte !

— J'ignore comment je suis, mais en tout cas, de ton côté, tu es d'une incroyable franchise ! déclara-t-il sans la quitter des yeux. Jamais je n'ai rencontré quelqu'un d'aussi sincère que toi... Tu dis ce que tu penses, tout simplement, et c'est tellement rafraîchissant !

Sa réflexion n'était pas dénuée d'une certaine amertume, et Katy songea que Bruno devait parfois se sentir bien seul.

Puissant et envié comme il l'était, il devait être courtisé par une foule de gens qui cherchaient par tous les moyens à lui plaire pour profiter de lui. Ce qui expliquait sa réaction...

Le serveur apporta l'addition, et ils se levèrent pour regagner la voiture.

Une fois installée dans le confortable siège de cuir fauve, Katy se remémora leur conversation.

— C'est affreux ce que tu as dit tout à l'heure ! s'exclama-t-elle tout à coup.

— Affreux ? Mais de quoi parles-tu ?

— De tes doutes sur la franchise des gens qui t'entourent ! Comment peux-tu savoir si les gens t'aiment vraiment pour toi ? Je ne supporterais pas d'être ainsi toujours sur mes gardes.

Mais il avait Isobel, songea-t-elle tout à coup. A elle au moins, il pouvait faire confiance. Même s'il n'était pas fou amoureux...

— Sauf avec Isobel, bien sûr, ajouta-t-elle en guettant sa réaction. Avec elle, heureusement, tu peux être toi-même...

Il émit une sorte de grognement qu'elle interpréta comme un acquiescement. Avec lui, il fallait parfois savoir décoder.

Un silence prolongé s'établit alors dans la voiture. Bruno semblait concentré sur sa conduite, et Katy restait silencieuse, absorbée dans ses pensées.

— Il faut que je m'excuse pour tout à l'heure, lança-t-elle enfin après avoir rassemblé tout son courage.

— Encore des excuses ? Mais c'est une manie, Katy ! Qu'as-tu bien pu faire qui vaille la peine de s'excuser ?

Elle bougea nerveusement sur son siège : le simple souvenir de la caresse de Bruno sur sa paume la troublait infiniment. Pourtant, c'était un geste presque anodin, qui ne prêtait pas à conséquence. Alors pourquoi avait-elle éprouvé une telle émotion, incapable de lutter contre la vague de chaleur qui la submergeait ?

— J'ai eu une réaction idiote quand tu m'as pris la main, expliqua-t-elle, au supplice. Complètement exagérée… Je suis désolée.

— Alors si je comprends bien, enchaîna Bruno, tu as changé d'avis et tu es maintenant prête à me donner des leçons ?

Ce n'était qu'une façon innocente de provoquer la jeune femme, et il savait qu'elle refuserait. Mais, tout à coup, il s'imagina la serrant contre lui. Il la débarrassait de ses vêtements trop larges, dénudait son corps souple et délié, caressait sa peau transparente… A sa grande surprise, un accès de désir brut et incontrôlable le saisit alors.

— Bien sûr que non ! protesta Katy.

Cette fois, elle ne s'offusqua pas, et prit soin au contraire d'éclater de rire.

Bruno resta silencieux. L'intensité de sa réaction le laissait perplexe. Il avait les plus belles femmes qu'il voulait, et n'en avait jamais été réduit à fantasmer ainsi comme un adolescent en mal d'aventures féminines. Que lui arrivait-il ? Trop de travail, vraisemblablement, et pas assez de temps avec Isobel…

Depuis peu, il se sentait en proie à une tension inhabituelle qu'il ne s'expliquait pas et qui le perturbait. Nul doute que la visite d'Isobel lui ferait le plus grand bien, et remettrait les choses à leur place…

5.

— Quelle piscine magnifique ! s'exclama Joseph.

De retour chez lui depuis quelques heures, le vieil homme découvrait avec une stupéfaction admirative les transformations orchestrées par Katy et Bruno.

Soulagé de retrouver sa maison, il était cependant presque triste d'avoir quitté le service où il avait été si choyé. Les infirmières, conquises par sa bonne humeur et sa patience, lui avaient remis le matin même une carte où elles avaient écrit chacune un petit mot gentil. Quant à Joseph, il avait chargé Katy d'acheter la plus grosse boîte de chocolats chez le meilleur artisan de la ville, et l'avait remise à l'équipe soignante avec tous ses remerciements.

— Allongez-vous un peu sur un transat, suggéra Katy. Vous devez être fatigué.

— J'avoue que ça fait tout drôle de quitter le cocon de l'hôpital pour revenir chez soi, murmura Joseph. Je ne sais plus très bien où j'en suis…

Katy lui prit affectueusement la main.

— Ne vous en faites pas, c'est normal. Dans quelques jours vous aurez retrouvé vos marques. J'espère que vous n'êtes pas choqué que nous ayons entrepris des travaux à votre insu !

— Pas du tout, c'est une merveilleuse surprise, assura Joseph. Je ne sais pas qui était en charge de ces travaux, mais c'est une

73

réussite. J'aime beaucoup le dallage autour du bassin. Et le teck des fauteuils ! Non, décidément, je n'ai rien à y redire !

— Asseyez-vous, Joseph, Bruno et moi avons pensé que vous seriez heureux de déjeuner dehors après avoir été enfermé si longtemps.

— Bonne idée, dit Joseph en s'installant. Je me régale à l'avance de retrouver les petits plats de Maggie après la cuisine de l'hôpital. Mais j'espère que les médecins ne m'ont pas mis au régime : le poisson grillé et les légumes vapeur, très peu pour moi !

— Rassurez-vous, rétorqua Katy en souriant. Maggie vous a préparé le gratin que vous préférez. Et maintenant vous avez la piscine pour faire du sport et éviter l'embonpoint !

— Je sais, les médecins m'ont conseillé de bouger le plus possible. Mais il y a si longtemps que je n'ai pas nagé ! Je ne sais pas si j'y arriverai encore…

— Ne t'inquiète pas, intervint Bruno qui venait de les rejoindre. Les premiers temps, en tout cas, je nagerai à tes côtés. Nous irons doucement.

— Tu me le promets ?

— Bien sûr ! Tu verras, ça ira ! Et puis Katy serait tellement déçue que tu n'utilises pas la piscine. C'est elle qui s'est chargée de tout, tu sais ! En vraie professionnelle !

Il croisa ses longues jambes et observa la jeune femme en souriant.

— C'est vrai, Katy ? demanda Joseph.

— Oui. Je ne sais pas si j'ai obtenu le résultat escompté, mais en tout cas j'ai pris un grand plaisir à superviser le chantier, expliqua-t-elle. Ah ! Un détail important : le bassin est chauffé. Ainsi vous ne prendrez pas froid. D'ailleurs, pourquoi ne commenceriez-vous pas demain ? On annonce un beau week-end.

— Demain ? Tu n'y penses pas ! protesta-t-il. Demain, Bruno me présente sa…

Il s'interrompit et lança un coup d'œil taquin à son filleul.

— Je ne sais pas très bien quel terme employer, Bruno, déclara-t-il en guettant la réaction de ce dernier. Mais puisque c'est la première femme que tu amènes ici, j'imagine qu'elle compte beaucoup pour toi !

Il serra la main de Katy avec un sourire complice.

— Bruno est muet comme une carpe au sujet d'Isobel, expliqua-t-il. Il n'a voulu répondre à aucune de mes questions ! Peut-être veut-il simplement que ma surprise soit la plus complète possible. Mais je ne me fais aucun souci : si elle lui plaît, elle me plaira…

Bruno détourna le regard : il préférait comme d'habitude éviter le sujet, refusant en cela de suivre les conseils de Katy. Avant le retour de Joseph, elle avait en effet tenté à plusieurs reprises de le convaincre de préparer son parrain à l'idée d'un éventuel mariage, mais il n'avait rien voulu entendre.

— Il sera toujours temps de lui en parler le moment venu, avait-il sèchement répliqué. Je t'en prie, Katy, ne t'occupe pas de ma vie privée !

Elle n'avait pas insisté. Après tout, Joseph était assez grand pour se forger une opinion par lui-même et deviner les intentions de son filleul. De toute façon, elle n'avait pas à s'immiscer dans les rapports entre les deux hommes.

— Tu crois qu'il faut que je mette un costume en l'honneur d'Isobel ? demanda tout à coup Joseph. Est-elle attentive à ce genre de détails ?

Bruno se renfrogna et posa d'un geste brusque ses lunettes de soleil sur la table. A l'évidence, il n'avait aucune envie de parler de sa fiancée.

— Comme tu préfères, répondit-il brusquement. En fait, ça n'a aucune importance…

Après un rapide et délicieux déjeuner composé d'une salade et d'une quiche, Joseph se retira dans sa chambre pour se reposer. Cette première matinée à l'extérieur l'avait épuisé.

— J'aurai besoin de toi cet après-midi, annonça Bruno alors que Maggie venait d'enlever le plateau de cafés. Si tu n'y vois pas d'inconvénient…, ajouta-t-il en notant l'air surpris de Katy.

— Mais on est samedi, fit-elle remarquer d'une voix mal assurée. Joseph est revenu, et…

— … tu estimes être déchargée de tes fonctions de secrétaire, même si le travail n'est pas terminé ? acheva Bruno avec une agressivité à peine masquée.

— Non, bien sûr ! balbutia-t-elle. Je pensais juste que…

— Rendez-vous dans mon bureau dans une demi-heure, asséna-t-il d'un ton qui n'admettait pas la réplique. Et ne t'inquiète pas, je n'ai pas l'intention de te retenir tout l'après-midi. Il faudra juste envoyer quelques courriels et rédiger une lettre après ma conférence téléphonique.

Sur ces paroles, il se leva et disparut sans même attendre sa réponse. « Curieux personnage, décidément… », songea Katy. Il pouvait passer de la plus attendrissante courtoisie au plus insupportable autoritarisme ! Et pourquoi cette tension soudaine, alors que son parrain était enfin rétabli et que sa petite amie arrivait le lendemain ? Décidément, il y avait des moments où elle ne le comprenait pas !

En attendant, elle fit une visite à Joseph pour s'assurer qu'il ne manquait de rien. Allongé sur son lit, la fenêtre grande ouverte sur le jardin, il contemplait le feuillage vert tendre des platanes, à l'évidence ravi de se retrouver dans son univers.

— C'est gentil de venir me voir, murmura-t-il en se redressant sur ses oreillers. Et ce déjeuner à trois m'a fait vraiment plaisir. Au fait, Katy, que sais-tu de cette Isobel ? enchaîna-t-il, l'air soucieux. On ne peut pas dire que Bruno fasse preuve d'un grand enthousiasme quand il parle d'elle ! Je ne sais pas pourquoi, j'ai un a priori négatif à l'égard de cette jeune femme…

— Elle vous plaira certainement, déclara Katy en s'efforçant de prendre un ton persuasif.

Prudente, elle préféra cependant changer de sujet de peur que Joseph ne sente sa propre réticence. Elle n'avait pas le droit de l'influencer.

— Mais pourquoi ne nous raconte-t-il rien sur elle ? reprit Joseph. S'il est amoureux d'elle, il devrait avoir envie de nous la faire connaître !

— Bruno n'est pas très expansif, rappela Katy en remettant en place la courtepointe du lit.

— C'est vrai, admit Joseph. Mais l'avantage avec Bruno, c'est qu'il dit toujours ce qu'il pense. Pourquoi ne me ferais-tu pas un peu de lecture ? ajouta-t-il après un silence. Nos petites séances m'ont tellement manqué, à l'hôpital !

— J'en avais bien l'intention, car elles m'ont manqué à moi aussi, mais Bruno a besoin de moi pour son travail, expliqua-t-elle. Je ne devrais pas en avoir pour longtemps : je reviendrai dès que j'aurai terminé.

Quand elle rejoignit Bruno à l'heure dite, il semblait plongé dans l'étude d'un dossier et elle s'installa discrètement à sa table, attendant ses instructions. Mais il resta silencieux…

— Que dois-je faire ? demanda-t-elle au bout de quelques minutes. Si je ne finis pas trop tard, j'aurai le temps de faire la lecture à Joseph comme il me l'a demandé.

Bruno redressa la tête et la fixa d'un étrange regard concentré. Pourquoi avait-il l'air si sérieux tout à coup ?

— Je te donne dans un instant le courrier à envoyer, déclara-t-il d'un ton abrupt. Mais avant, j'aimerais que nous ayons une petite discussion à propos de notre collaboration.

Elle se figea aussitôt. Aurait-elle commis une erreur ? La mine solennelle de Bruno n'augurait rien de bon !

— Pourquoi ? Aurais-tu des critiques à me faire ?

Il poussa un soupir en levant les bras au ciel.

— Tu recommences ! s'exclama-t-il d'un ton exaspéré. Toujours en train d'imaginer que tu as commis tous les péchés de la terre ! Mais non, pas du tout ! Au contraire, j'apprécie de plus en plus ton efficacité et ta rigueur.

— Mais alors de quoi s'agit-il ?

— De ce qui va se passer à partir de maintenant.

De ses longs doigts élégants, il joua nerveusement avec son stylo sans cesser de la regarder. Elle attendait, vaguement inquiète.

— Tu sais que j'avais l'intention de partir d'ici dès le retour de Joseph pour reprendre mes activités habituelles, commença-t-il.

— Oui.

— Eh bien j'ai changé d'avis, acheva-t-il d'un ton abrupt.

Katy le dévisagea avec stupéfaction, attendant des explications. Mais Bruno l'observait en silence, comme aux aguets.

— Pourquoi ? demanda-t-elle enfin. Tu avais pourtant pris ta décision !

— Oui, cependant je me suis rendu compte que Joseph a besoin d'être très entouré, ici plus encore qu'à l'hôpital. Avant d'envisager mon départ, je veux m'assurer de son complet rétablissement. Donc je prolonge mon séjour. Ce qui signifie, je le crains, que tu vas devoir continuer à travailler pour moi...

— Mais Joseph ? Il a besoin de moi ! s'écria-t-elle, prise au dépourvu.

L'argument ne sembla pas troubler Bruno. Comme toujours, il avait réponse à tout.

— Pas de problème, assura-t-il d'un ton posé. D'abord, les premiers temps, il va beaucoup se reposer. Ensuite, il est bien évident que son bien-être passe avant tout : tu pourras adapter ton emploi du temps de façon à concilier en priorité ta présence auprès de lui et en second lieu ton travail pour moi.

— Je croyais que tu avais besoin d'une assistante à plein temps !

— Ne t'en fais pas pour moi, je me débrouillerai, affirma-t-il non sans une certaine impatience.

Katy était de plus en plus désorientée.

— Mais comment nous organiserons-nous ? s'écria-t-elle d'une voix étranglée.

— Pas de panique, Katy ! rétorqua-t-il avec agacement. Tout fonctionnera très bien, tu verras ! Tu n'auras qu'à suivre le mouvement !

Elle ne fut guère convaincue. Elle connaissait suffisamment le mode de fonctionnement de Bruno pour savoir qu'il ne supportait pas d'attendre quand il fallait traiter un dossier urgent.

— Peut-être devrais-tu engager quelqu'un d'autre ? suggéra-t-elle. Pourquoi pas Isobel, en dépannage ?

Son idée était si saugrenue que Bruno la dévisagea avec une incrédulité découragée.

— Isobel ? Tu n'y penses pas ! Elle n'a jamais travaillé ! Elle serait bien incapable de taper à la machine et de répondre au téléphone ! Sa seule réelle compétence est de courir les magasins et de fréquenter les restaurants les plus chics, aux frais de son papa, bien sûr.

Katy resta muette un moment, tant le discours de Bruno la stupéfiait.

— Je ne comprends pas que tu envisages de l'épouser si tu désapprouves à ce point son mode de vie ! s'exclama-t-elle enfin, incapable de se taire plus longtemps.

Bruno pianota nerveusement sur la table. A l'évidence, il était perturbé par les paroles de Katy, marquées au coin du bon sens, et ne savait que lui répondre.

— Ai-je dit que je désapprouvais son style de vie ? protesta-t-il. Certes, elle a des côtés critiquables dus à son éducation trop privilégiée, mais il n'en reste pas moins qu'elle possède aussi beaucoup de qualités.

Katy faillit lui demander pourquoi il n'évoquait jamais ces mystérieuses qualités, mais se tut. Mieux valait ne pas s'appesantir sur un sujet aussi sensible.

— D'ailleurs, je suis sûr qu'elle plaira à Joseph, ajouta Bruno comme s'il cherchait à se convaincre lui-même. As-tu eu l'occasion d'évoquer sa visite avec lui ?

Katy fit non de la tête. Pour rien au monde, elle ne s'engagerait dans cette discussion avec Bruno. En effet, elle avait l'intime conviction que Joseph n'apprécierait pas la personnalité superficielle d'Isobel, mais qu'il donnerait le change à Bruno pour ne pas le blesser. De toute façon, elle n'avait pas son mot à dire sur le sujet…

Le lendemain matin, elle prit son petit déjeuner dans la cuisine avec Joseph. Le vieil homme avait un air frais et dispos qui la rassura pleinement.

Jusque-là invisible, Bruno les rejoignit dans le jardin une heure plus tard. Dans la lumière crue de ce matin de printemps, il apparut radieux, vêtu d'un polo blanc qui mettait en valeur son léger hâle et d'un pantalon kaki à la coupe parfaite. Quoi qu'il porte, il était magnifique, songea Katy, éblouie par sa prestance comme si elle le voyait pour la première fois. Il n'y avait que lui pour être si viril et si raffiné à la fois…

Mais elle se remémora tout à coup l'arrivée prochaine de sa fiancée et un malaise diffus l'envahit. La perspective de se retrouver mêlée à ce qui était à la fois une réunion de famille et un moment essentiel dans la relation de Bruno avec son parrain la perturbait. Si elle l'avait pu, elle aurait trouvé un prétexte ou un autre pour s'éclipser : Bruno allait présenter sa future femme à Joseph, et elle n'avait rien à faire dans ce contexte strictement familial.

De plus en plus mal à l'aise, elle resta en retrait tandis que Bruno bavardait avec son parrain. Isobel allait désormais arriver d'un instant à l'autre et sa propre présence lui paraissait de plus en plus importune. Elle allait devoir sourire à la nouvelle venue, lui manifester une sympathie qu'elle n'éprouvait pas. Or elle n'avait jamais aimé faire semblant…

Soudain, on entendit un crissement de pneus sur le gravier, et les deux hommes se turent.

— C'est Isobel, je vais l'accueillir, annonça Bruno. On vous retrouve à l'intérieur ?

Joseph ayant déjà pris le chemin de la maison, Bruno se pencha vers Katy.

— Tu as l'air bien sévère ce matin ! J'espère que tu seras un peu plus causante tout à l'heure avec Isobel, lui glissa-t-il à l'oreille. Histoire de détendre un peu l'atmosphère…

— Je ferais mieux de partir et de vous laisser tous les trois, rétorqua Katy d'une voix mal assurée. Ma présence risque d'empêcher Joseph et Isobel de faire connaissance.

— Oh, je t'en prie ! coupa Bruno avec agacement. Tu ne vas pas te remettre à jouer les petites souris terrorisées ! Au contraire, j'ai besoin de toi ! Tu sauras faire le lien entre les deux, j'en suis certain : tu as une grande influence sur Joseph, tu le sais bien ! Je peux compter sur toi ?

Il lui lança un regard implorant et elle ne put que s'incliner. Tant qu'il s'agissait de Joseph, elle était prête à tous les efforts…

Quelques minutes plus tard, Isobel montait les marches du perron au bras de Bruno, un sourire de star sur ses lèvres rouge vermillon. Dès qu'elle aperçut Joseph, elle se précipita vers lui.

— Comme je suis heureuse de faire votre connaissance ! s'exclama-t-elle avec des gloussements aigus. Bruno m'a tellement parlé de vous !

Joseph la salua poliment, visiblement perplexe devant une telle exubérance. Isobel se mit à parler avec volubilité, racontant par le menu son trajet en voiture, ses difficultés à trouver la route, ponctuant son bavardage de grands gestes agités. Les deux hommes restaient muets, attendant que la tempête se calme…

La jolie blonde semblait arriver en pays conquis, et Katy se demanda si Bruno lui avait enfin fait sa demande officielle. En tout cas, elle s'adressait à Joseph avec assurance, comme s'il était évident qu'elle ferait bientôt partie de la famille. A l'égard de Katy, elle se montra en revanche nettement plus distante : elle la salua d'un bref signe de tête, avant de se consacrer exclusivement à Joseph, dont elle semblait avoir décidé de faire la conquête. Peut-être n'appliquait-elle pas la meilleure méthode, songea Katy avec ironie. Le parrain de Bruno, qui appréciait tant la discrétion et la mesure, la dévisageait avec une circonspection méfiante. De temps à autre il esquissait un vague sourire ou un hochement de tête, mais, à l'évidence, le charme de la nouvelle venue n'opérait pas…

Après un déjeuner léger que leur servit Maggie dans la salle à manger, Katy remarqua une fatigue soudaine sur les traits de Joseph.

— Que diriez-vous d'aller faire une petite sieste ? lui suggéra-t-elle alors. Reposez-vous un peu, et ensuite nous irons dehors !

— Mon Dieu ! s'exclama alors Isobel en se tournant vers Katy. Vous parlez si peu que j'avais presque oublié votre présence !

Joseph posa la main sur celle de Katy.

— Katy n'est pas très bavarde, en effet, et je trouve cela infiniment reposant, fit-il observer avec un sourire appuyé.

C'était une critique à peine déguisée de leur visiteuse, se dit Katy, gênée. La jeune femme allait-elle s'en offusquer ?

Mais Isobel semblait incapable de se remettre en question : elle éclata de son rire de gorge sous le regard désapprobateur de Bruno.

— Vous avez parfaitement raison ! s'exclama-t-elle. Mais vous savez, à Londres, les choses vont tellement vite que personne ne songe à se reposer !

Elle s'interrompit et lança un regard langoureux à Bruno.

— Tu dois avoir du mal à t'habituer à ce rythme, mon chéri, après la vie trépidante que nous menions en ville ! s'exclama-t-elle en lui souriant amoureusement.

Elle ne pouvait pas marquer plus clairement son territoire, pensa Katy. A cet instant, son regard croisa celui de Bruno et elle crut lire dans ses yeux sombres un appel à l'aide. Elle détourna aussitôt la tête, en proie à un trouble intense.

— C'est vrai qu'ici nous menons une existence très protégée qui n'est peut-être pas du goût de tout le monde, fit-elle observer pour détendre l'atmosphère. Si je vous accompagnais dans votre chambre à présent, Joseph ? N'oubliez pas que vous avez promis d'étrenner la piscine cet après-midi ! Il faut que vous soyez en forme !

Bruno s'écarta ostensiblement d'Isobel, qui le suivait comme un petit chien, et se tourna vers Katy.

— Et toi ? Que fais-tu à présent ? demanda-t-il d'un ton abrupt. Tu ne vas pas te réfugier dans ta chambre, j'espère ! Viens avec nous au bord de la piscine !

Il la dévisageait avec une telle intensité qu'elle frissonna. Sa suggestion ne la tentait guère, car elle n'avait aucune envie de tenir la chandelle ; mais comment s'opposer à Bruno Giannella ?

Il avait une telle puissance de conviction qu'il était capable de faire plier toutes les volontés.

— C'est-à-dire que…, bafouilla-t-elle. Je pensais faire quelques rangements, et…

— Tu as acheté un maillot comme prévu, j'espère ? coupat-il.

Pourquoi s'adressait-il à elle comme si elle avait quinze ans ? s'interrogea Katy, irritée. Et, en plus, en présence d'Isobel ! Il manquait vraiment de la plus élémentaire délicatesse…

— Mais laisse donc cette pauvre Katy, intervint alors Isobel avec un sourire de pitié qui acheva d'exaspérer la jeune femme. J'ai deux maillots, je pourrai lui en prêter un !

Elle s'arrêta brusquement et examina Katy de la tête aux pieds, s'attardant sur ses hanches étroites, sa poitrine menue.

— Encore que… je ne sais pas s'il lui ira. Nous n'avons pas du tout la même silhouette, ajouta-t-elle d'un air navré.

En effet, songea Katy en décodant aussitôt le message. Autant Isobel était l'archétype de la belle blonde à la poitrine avantageuse, autant elle-même avait encore les formes d'une adolescente pré-pubère ! A l'évidence, Isobel était ravie de ne pas lui ressembler et se faisait fort de le dire !

Joseph, scandalisé, allait ouvrir la bouche pour remettre Isobel à sa place quand Katy intervint.

— On y va, Joseph ? lança-t-elle, le coupant net dans ses élans.

Elle prit le vieil homme par le bras d'un air d'autorité et l'entraîna vers l'escalier.

— Elle est insupportable ! fulmina-t-il dès qu'ils se furent éloignés d'Isobel.

— Elle a sûrement de bons côtés, protesta mollement Katy pour le calmer.

— Je ne vois vraiment pas ce que Bruno lui trouve, enchaîna Joseph comme s'il n'avait rien entendu. Comme beaucoup de gens avantagés par la nature, sa beauté la rend d'une terrible prétention !

— Bruno n'est pas prétentieux, et pourtant c'est le plus bel homme que je connaisse, s'écria Katy sans réfléchir.

Joseph s'arrêta au milieu d'une marche et lui lança un regard incisif.

— Voilà qui est intéressant…, marmonna-t-il dans sa barbe. En tout cas, j'espère que cette histoire n'est pas trop sérieuse. Bruno t'a-t-il fait des confidences ? Crois-tu qu'il veuille l'épouser ?

Katy eut un rire gêné.

— Vous devriez lui demander directement, répondit-elle. Je ne sais rien de précis, et il vous renseignera mieux que moi.

Une fois dans sa chambre, Joseph s'étendit sur son lit pendant que Katy refermait la fenêtre.

— Je vais essayer de dormir, annonça-t-il. J'ai intérêt à prendre des forces si je ne veux pas couler à pic tout à l'heure ! Merci de m'avoir accompagné, ma chère Katy, ajouta-t-il. Tu viendras avec moi dans l'eau, n'est-ce pas ? En fin d'après-midi, quand la délicieuse Isobel aura libéré la place, ajouta-t-il en lui lançant un clin d'œil complice. D'accord ?

— D'accord, dit Katy en lui rendant son sourire.

Sans vouloir se l'avouer, elle était soulagée que Joseph ne soit pas tombé sous le charme d'Isobel : elle-même la trouvait encore plus détestable que lors de leur première entrevue.

Après avoir été chercher un livre dans sa chambre, elle sortit dans le jardin. Le temps était magnifique et elle hésita un instant à s'installer sur l'un des nouveaux transats. Elle opta finalement pour son coin préféré, un banc à l'ombre d'un saule, à l'écart de la piscine. Peut-être les tourtereaux s'y trouvaient-ils déjà…

Elle tenta de se plonger dans son roman, qui la veille encore lui paraissait palpitant, mais en vain. Ses pensées retournaient sans cesse vers Bruno et Isobel. Où étaient-ils à cet instant ?

Encore dans la chambre de Bruno, enlacés sur le lit ? Déjà sur les chaises longues, allongés côte à côte, main dans la main ?

Elle les entendit tout à coup approcher : ils revenaient de la piscine. Un véritable couple de magazine, songea Katy avec un pincement au cœur. Bruno avait passé une simple chemise blanche sur son caleçon de bain, et il émanait de lui une virilité brute qui la bouleversa. Avec ses larges épaules musclées, ses hanches étroites et ses cuisses puissantes, il avait l'arrogance et l'éclat d'un homme en pleine possession de ses moyens. Isobel, elle, portait un minuscule Bikini rose vif à peine dissimulé par un paréo en mousseline assorti, et des mules à hauts talons qui accentuaient encore la longueur vertigineuse de ses jambes.

— Mais pourquoi ne nous as-tu pas rejoints ? lança Bruno dès qu'il l'aperçut.

— Je lisais, expliqua-t-elle, la gorge soudain nouée. Impossible de décrocher… Le bain était agréable ?

— Oui, mais c'est toi qui aurais dû étrenner la piscine ! C'est ton œuvre, après tout !

Il se tourna vers Isobel.

— Je suggère que tu montes te changer, Isobel. Tu n'as qu'à utiliser ma salle de bains pour prendre une douche. J'ai encore un peu de travail.

Isobel esquissa une moue boudeuse destinée à mettre en valeur ses lèvres pulpeuses.

— Tu travailles un dimanche ? s'exclama-t-elle, dépitée.

— Eh oui ! rétorqua-t-il du tac au tac. La machine à fabriquer de l'argent ne s'arrête jamais, tu sais ! Mais je n'en ai pas pour longtemps.

— Bon, très bien, répondit Isobel, un peu piquée. Mais fais vite, mon chéri.

Elle s'éclipsa sur ces entrefaites, faisant claquer ses mules sur le dallage de la terrasse. Bruno, en revanche, ne bougea pas.

Qu'attendait-il pour rejoindre son bureau ? se demanda Katy. Pourquoi restait-il planté devant elle ?

— Il ne l'aime pas, asséna-t-il soudain d'une voix étrange.

La première surprise passée, Katy garda le silence. Elle voyait parfaitement où il voulait en venir, mais n'avait aucune envie d'aborder ce sujet délicat.

— Il ne l'aime pas, et c'était stupide de ma part de la faire venir ici, reprit-il.

Il se mit à marcher de long en large devant Katy, puis s'arrêta brusquement et la fixa droit dans les yeux.

— Alors, que t'a dit Joseph ? lança-t-il d'un ton abrupt. Et inutile de prétendre ne rien savoir : je suis sûr qu'il t'a fait part de ses impressions !

Impossible d'esquiver sa question, songea Katy, horriblement gênée. Mais comment satisfaire sa curiosité déplacée sans trahir Joseph ?

— Je crois qu'il trouve Isobel un peu… envahissante, murmura-t-elle aussi diplomatiquement que possible.

— J'espère que tu ne lui as pas laissé entendre que je pensais au mariage ! enchaîna Bruno d'une voix tendue.

— Pas du tout ! protesta Katy. Tu m'avais demandé de ne rien dire, et je n'en ai rien fait !

Pourquoi posait-il cette question ? Avait-il écarté l'idée d'épouser Isobel ? A cette pensée, elle éprouva tout à coup une joie infinie. Elle comprit alors qu'elle avait toujours espéré en secret cette issue…

Elle baissa les yeux, bouleversée. Bruno ne devait pas deviner le trouble que cette découverte suscitait en elle. Car il y avait une explication et une seule à sa réaction : elle était jalouse, tout simplement jalouse !

Atterrée, elle eut du mal à contrôler son trouble. Inutile de se leurrer plus longtemps : discrètement, presque à son insu, Bruno avait pris dans sa vie une place essentielle, et pas seulement comme patron ! Elle était tombée sous son charme, et quand elle pensait à lui, c'était à l'homme, viril et séduisant, avec sa voix grave, son corps puissant, ses yeux de braise. Comment avait-elle pu être assez stupide pour tomber amoureuse de lui, comme la plus naïve des midinettes ? Elle devait absolument lutter contre ce penchant !

Qu'elle n'aille pas s'imaginer qu'il allait rompre avec sa fiancée pour la simple raison qu'elle n'avait pas conquis Joseph au premier coup d'œil ! Et d'ailleurs, à supposer qu'il quitte Isobel, il ne s'intéresserait pas à elle pour autant ! Elle faisait partie de cette catégorie de femmes qu'il ne regardait jamais…

Au comble du malaise, elle éprouva soudain le besoin de se retrouver seule pour essayer d'y voir un peu plus clair dans ses pensées. Elle ramassa son livre et se leva brusquement.

— Où vas-tu ? lui demanda Bruno d'un ton presque agressif.

— Je vais retrouver Joseph. Je lui ai promis de nager avec lui, expliqua-t-elle en affichant un air dégagé.

Elle comprit à l'expression furieuse de Bruno qu'il n'appréciait guère sa désertion, mais passa devant lui aussi naturellement que possible. Par bonheur, il ne chercha pas à la retenir. Elle était si déstabilisée qu'elle ne savait pas ce qu'elle aurait été capable de lui dire…

Dans sa chambre, Joseph l'attendait, debout près de son lit.

— Je t'ai entendue venir, expliqua-t-il. On va nager ? Seulement si la voie est libre, bien entendu ! ajouta-t-il avec un clin d'œil complice.

Katy ne put s'empêcher de sourire. Jouer à cache-cache avec Isobel semblait le mettre en joie…

— Allons-y, dit-elle. J'ai mes affaires avec moi.

Ils descendirent lentement l'escalier et se dirigèrent vers la piscine.

— Personne en vue ! lança Joseph d'un ton de conspirateur. Tant mieux ! Tu comprends, à mon âge, je n'ai pas très envie de me montrer en maillot de bain ! Il n'y a qu'avec toi que je suis vraiment à l'aise…, ajouta-t-il avec un sourire attendri.

Deux minutes plus tard, ils étaient dans l'eau. Joseph portait un short bleu marine, et Katy un simple maillot une pièce noir.

Contre toute attente, Joseph s'en tira très bien. Après s'être assuré qu'il flottait sans problème, il fit même quelques longueurs, avant d'aller s'allonger au soleil, fatigué par ces efforts inhabituels.

Quand Bruno les rejoignit une demi-heure plus tard, il trouva son parrain assoupi sur un transat. Katy, elle, s'apprêtait à sortir de l'eau. Un pied sur une marche, l'autre sur la margelle, elle essorait ses cheveux d'un geste gracieux, le bras arrondi au-dessus de l'épaule.

Comme paralysé, Bruno s'arrêta pour la contempler. Elle ne l'avait pas vu, et il eut tout le loisir de l'observer, fasciné par son corps gracile qu'elle prenait tant de soin à cacher d'ordinaire. Elle avait de longues jambes au galbe parfait, des cuisses minces et fuselées, et sa poitrine menue aux mamelons dressés était infiniment attendrissante sous le Lycra qui la moulait : une vraie femme, délicate et désirable, terriblement émouvante dans sa fragilité. Comment ne s'en était-il pas aperçu auparavant ?

Il aurait pu rester ainsi indéfiniment à l'admirer, si elle n'avait pas brusquement levé la tête et remarqué sa présence…

6.

Katy croisa le regard de Bruno. Il la dévisageait avec une intensité si brûlante, une impudeur si manifeste qu'elle fut incapable de détourner les yeux. Le souffle court, elle sentit une vague de chaleur l'envahir. C'était plus troublant encore qu'une véritable caresse ! songea-t-elle, affolée.

Il s'attarda longuement sur son visage puis glissa vers ses seins dressés, ses mamelons durcis, descendit plus bas encore vers son ventre plat, ses hanches minces, ses cuisses fuselées. Quand il avança d'un pas, elle serra les bras autour d'elle dans un réflexe instinctif de protection, comme si elle craignait qu'il la touche. Mais il n'en fit rien… Un étrange sourire se dessina sur ses lèvres pleines, tandis qu'il continuait à la fixer.

— Ne fais pas ça, murmura-t-il d'une voix sourde.

— Quoi, ça ? balbutia-t-elle d'une voix à peine audible.

Il s'approcha plus encore, lui prit les mains et la força à desserrer ses bras qu'il écarta.

— Te cacher, dit-il.

Elle était si émue qu'elle eut du mal à soutenir son regard.

— Mais je ne me cache pas ! protesta-t-elle faiblement.

— Si. Tu te dissimules derrière toutes sortes de vêtements informes, à tel point que jusqu'à aujourd'hui je n'avais pas idée que tu avais un tel corps !

— Mon corps n'a rien de particulier..., balbutia-t-elle d'une voix étranglée.

Il avait toujours ses mains dans les siennes et ce contact la bouleversait. Elle devait à tout prix se reprendre ! se dit-elle, au supplice. Et surtout ne pas imaginer que la réflexion de Bruno cachait un quelconque intérêt pour elle ! Il était seulement surpris de découvrir qu'elle n'était pas aussi mal faite qu'il se l'était imaginé, rien de plus ! Il n'y avait rien de sentimental dans tout ça ! Elle aurait dû changer de sujet au lieu de faire cette réflexion stupide...

— Si. Il est mince et souple, avec toutes les courbes qu'il faut là où il faut. Ta peau est douce comme du satin, tes...

— Je crois que je commence à avoir un peu froid, coupa Katy, incapable d'en entendre plus. Je vais chercher ma serviette et réveiller Joseph, ajouta-t-elle en évitant son regard.

— C'est le froid qui te fait cet effet ? dit-il en désignant sa poitrine.

Elle dut se retenir au dossier d'une chaise longue pour ne pas tomber. Elle le savait adepte du franc-parler, capable de prononcer les mots les plus crus s'il en éprouvait le besoin, mais sa question la déstabilisait tant qu'elle ne sut que lui répondre. Comment osait-il lui faire une remarque explicitement sensuelle alors qu'Isobel n'était qu'à quelques mètres ?

— Tu ne devrais pas me parler ainsi, articula-t-elle enfin d'une voix tremblante. Tu es fiancé, et...

— C'est un point qui mérite encore réflexion, coupa-t-il. Tu n'as toujours pas répondu à ma question. Est-ce le froid ou ma présence qui te fait cet effet ?

A peine avait-il prononcé ces paroles que Bruno s'interrogea. Il ne se reconnaissait pas lui-même : jamais il n'avait poursuivi une femme ainsi ! D'ordinaire, c'était plutôt l'inverse, et chaque fois qu'il avait eu envie d'une femme il n'avait eu qu'à le lui faire comprendre pour qu'elle se jette dans ses bras… Avec Katy, c'était différent.

En réalité, il n'était pas du tout sûr de sa réaction et tentait le tout pour le tout, au risque d'être vertement repoussé. Peut-être avait-elle seulement froid ? Et de toute façon, que lui importait ? Il n'allait pas s'imposer à elle, tout de même ! Mais une force supérieure à sa volonté le poussa à avancer la main vers la jeune femme. De la paume, il lui effleura la poitrine. Quand il sentit la pointe de ses seins se contracter, une vague de désir l'assaillit. Katy avait sur lui l'effet d'une bombe, mais elle ne semblait même pas s'en rendre compte. Que lui arrivait-il ? se dit-il de nouveau. Jamais il n'aurait imaginé qu'une fille aussi peu glamour puisse le mettre dans un tel état !

Toujours immobile, comme pétrifiée, Katy ne put retenir un gémissement et il en éprouva une joie intense. Elle n'était donc pas insensible à sa caresse.

Il retira sa main au prix d'un violent effort de volonté. S'il s'était laissé aller, il l'aurait enlacée et lui aurait fait l'amour sur-le-champ. Jamais il n'avait éprouvé un désir aussi impérieux.

Elle vacilla légèrement mais parvint par miracle à dissimuler le chaos qui l'agitait.

— Que veux-tu dire par « qui mérite réflexion » ? demanda-t-elle comme s'il ne s'était rien passé.

Sa voix à peine audible et la rougeur soudaine de son visage trahissaient son émotion.

— Je veux dire que je ne suis pas si pressé de me marier, répondit-il d'un ton dégagé. Isobel n'est peut-être pas l'épouse idéale…

— Mais je croyais qu'elle avait toutes les qualités que tu recherches chez ta future femme ! protesta faiblement Katy.

Il s'écarta un peu et lui lança un étrange regard.

— Pas toutes les qualités, précisa-t-il d'une voix sourde.

Elle resta muette.

— Tu ne me demandes pas ce qui lui manque ? demanda-t-il enfin.

— Si, murmura-t-elle, hypnotisée par l'éclat trouble de ses yeux sombres qui ne la quittaient pas. Qu'est-ce qu'elle n'a pas ?

— Cela…

Avant même qu'il se penche vers elle, Katy sut ce qu'il allait faire et le feu qui couvait en elle se déchaîna avec une incroyable violence. Son corps tout entier n'était plus qu'attente et une vague de désir l'envahit, la laissant pantelante. A l'instant où il lui prit les lèvres, tout autour d'eux s'évanouit comme par enchantement. Disparus, Joseph assoupi à quelques mètres d'eux, Isobel qui pouvait revenir d'un instant à l'autre, Maggie dans la cuisine… Katy ne savait plus où elle était, et le monde extérieur avait perdu toute réalité. Rien ne comptait plus que Bruno en face d'elle, Bruno qui l'embrassait passionnément, Bruno qui la serrait contre son corps puissant, Bruno dont elle sentait le désir bien réel, faisant écho au sien.

Ils s'embrassèrent longuement, avec une intensité presque douloureuse, et Katy crut mourir d'émotion et de plaisir. Comment un simple baiser pouvait-il déclencher en elle tant de sensations merveilleuses, inconnues d'elle jusque-là ? songeat-elle, éperdue. Retenant un gémissement, elle s'accrocha au cou de Bruno et se pressa contre lui, palpitante.

Puis, tout à coup, il s'écarta d'elle et la réalité reprit droit de cité avec une implacable cruauté.

Isobel se tenait à quelques mètres d'eux, les traits déformés par la colère. Absorbés par leur étreinte, ils ne l'avaient pas entendue arriver…

Atterrée, Katy jeta un coup d'œil en direction de Joseph. Par bonheur, il était encore assoupi… Mais peut-être pas pour longtemps si Isobel laissait éclater sa rage, comme son expression vengeresse le laissait présager.

Bruno eut le bon réflexe : sans un mot, il prit Isobel par le bras et l'entraîna vers la maison sans lui laisser le temps de réagir. Ils allaient s'expliquer tous les deux, loin de toute oreille indiscrète ; de cette façon, Joseph ne serait pas au courant de l'incident.

Encore sous le choc de ce baiser et de l'arrivée intempestive d'Isobel, Katy s'enveloppa dans son peignoir. Elle ne comprenait pas encore très bien ce qui s'était passé, sinon qu'elle n'avait pas essayé une seule seconde de résister à Bruno. Dans ses bras, elle devenait une autre femme : il déchaînait en elle une sensualité torride qui ne s'était jamais manifestée jusque-là…

A cet instant, Joseph ouvrit les yeux et la dévisagea avec attention.

— Tu fais une drôle de tête, Katy ! Aurais-tu trop nagé ?

— Non, non, répondit-elle, évasive.

Joseph sourit. Devait-il lui avouer qu'il ne dormait pas et qu'il avait assisté à toute la scène ? Il avait songé à manifester sa présence, gêné d'être témoin de ce baiser fougueux, mais avait finalement jugé préférable de ne pas intervenir. Il se doutait depuis longtemps qu'il y avait quelque chose entre ces deux-là… Des regards, des sourires, des petits riens, et surtout une évidente complicité l'avaient mis sur la piste. En fait, il était ravi ! Bruno et Katy étaient les personnes qui comptaient le plus au monde pour lui et il ne pouvait voir leur idylle naissante que d'un bon œil. D'autant qu'il n'avait décidément aucun penchant pour cette Isobel aussi blonde que superficielle.

— Mais où sont Bruno et cette… j'ai oublié son nom ?

Katy se sentit rougir.

— Je ne sais pas, balbutia-t-elle, au supplice. Probablement en train de se changer. Que diriez-vous d'une tasse de thé ? suggéra-t-elle pour faire diversion.

Joseph acquiesça. Tout en l'escortant vers la maison, Katy ne cessait de s'interroger sur la marche à suivre. Jamais elle n'aurait imaginé se retrouver un jour dans cette situation ridicule, digne d'une pièce de boulevard ! Le fiancé pris en flagrant délit par sa future femme ! Quelle lamentable scène ! Elle aurait dû immédiatement repousser Bruno, d'autant que pour lui ce baiser ne portait nullement à conséquence, elle en était certaine. Il avait cédé à une pulsion soudaine qu'il regrettait certainement déjà. Un intense sentiment de culpabilité envahit peu à peu la jeune femme. Si elle n'intervenait pas pour mettre les choses au clair et expliquer à Isobel qu'il n'y avait rien entre Bruno et elle, les fiancés rompraient sans aucun doute. Or Bruno souhaitait-il vraiment cela ? Rien n'était moins sûr ! En tout cas, elle ne voulait pas avoir ça sur la conscience...

Après avoir installé Joseph sous la véranda devant une bonne tasse de thé, elle monta à la hâte se changer. La démarche qu'elle allait entreprendre lui coûtait terriblement, mais si elle ne la faisait pas maintenant, elle ne la ferait jamais...

Quelques minutes plus tard, elle frappa à la chambre de Bruno où elle était sûre de les trouver.

Ils y étaient en effet, constata-t-elle dès qu'elle eut poussé la porte : Bruno debout devant la fenêtre, une expression lointaine sur le visage, et Isobel assise dans un fauteuil. A en juger par son air menaçant, sa colère ne semblait guère s'être atténuée, bien au contraire, songea Katy avec appréhension.

Ils la dévisagèrent tous les deux avec la même stupéfaction.

— Que venez-vous faire ici ? s'écria aussitôt Isobel avec un regard qui lançait des éclairs.

— M'expliquer, répondit Katy.

— C'est inutile, intervint Bruno d'une voix glaciale. Tout ceci n'a rien à voir avec toi !

Si la situation n'avait pas été aussi pénible, Katy aurait eu envie de rire. Comment pouvait-il lui faire mieux comprendre que ce baiser n'avait pour lui aucune signification ? Que ce soit elle qu'il ait embrassée ou une autre importait peu : elle s'était trouvée là, c'est tout, au moment où il avait été pris d'une soudaine pulsion sensuelle. En cet instant précis, il aurait pu s'accommoder de n'importe quelle femme disponible…

— Tu te moques de moi, Bruno ? protesta Isobel, en furie. Tu m'invites à passer le week-end chez toi pour me présenter à ton parrain, tu me laisses entendre que tu es prêt à t'engager, et tu ne trouves rien de mieux à faire que de séduire une employée sous mes yeux ! Et tu voudrais que je me montre compréhensive !

Bruno serra les lèvres. Il semblait sur le point d'exploser.

— Arrête, Isobel, coupa Bruno. Nous nous sommes déjà expliqués sur ce point.

— Mais moi pas, reprit Katy, décidée à aller jusqu'au bout de sa démarche. Je veux convaincre Isobel que ce qu'elle a vu ne prête pas à conséquence.

— Parce que vous pensez que je vais vous écouter ? s'écria Isobel, soudain hystérique. Vous me prenez vraiment pour une idiote ! Je vous retrouve dans les bras de mon fiancé, vous embrassant passionnément comme deux adolescents à leur premier baiser, et vous voudriez me faire croire qu'il n'y a rien entre vous ? Allons, je ne suis pas stupide ! J'ai parfaitement compris qu'il s'est passé bien des choses entre vous !

— Laisse Katy en dehors de ça, ordonna Bruno d'une voix menaçante.

— Pas question ! Tu m'as humiliée comme jamais je ne l'avais été auparavant, et je te le ferai payer. Tu as peut-être l'habitude de te moquer des femmes sans qu'elles se rebiffent, mais avec moi tu es tombé sur le mauvais numéro !

Son visage était crispé par la rage et le sentiment de culpabilité de Katy ne fit que s'aggraver. L'incident prenait des proportions démesurées. Si elle avait eu la présence d'esprit de repousser Bruno, rien de tout ceci ne serait arrivé !

— Alors que vas-tu faire ? demanda Bruno d'un ton parfaitement calme. Engager quelqu'un pour me faire la peau et protéger ainsi le reste de la population féminine de mes agissements coupables ? Avertir la presse que je suis un dangereux suborneur ?

Isobel se leva d'un bond et Katy crut qu'elle allait le frapper. Mais elle se contenta de se planter devant lui et de lui adresser un regard assassin.

— Je ne sais pas, mais je trouverai, rétorqua-t-elle d'une voix sifflante. Un jour, tu regretteras de m'avoir humiliée ainsi. Et vous, ajouta-t-elle en se tournant vers Katy, je vous souhaite bien du courage ! C'est peut-être un as au lit, mais, pour le reste, vous allez comprendre votre douleur !

Et sur ces paroles vengeresses, la jeune femme quitta la pièce en claquant violemment la porte derrière elle.

Un silence pesant s'établit dans la pièce. Katy n'osait pas regarder Bruno, qui ne bougeait pas. Il semblait plongé dans la contemplation du parc.

— Je suis désolée, murmura-t-elle enfin dans un souffle.

— De quoi ?

— De voir Isobel dans cet état. Je n'ai pas trouvé ce qu'il fallait dire pour la calmer.

— Je viens d'essayer pendant une heure, sans résultat, expliqua Bruno avec lassitude. Elle refuse de m'écouter et ne veut pas entendre parler de rupture. J'ai eu beau lui expliquer que je m'étais trompé, que nous serions malheureux ensemble, elle ne veut rien savoir. Incapable de se remettre en question, elle met tout sur le compte de ce qui vient de se passer.

— Tu l'as quittée ? balbutia Katy, le cœur battant à tout rompre.

— Oui, et je lui rends service en m'en apercevant à temps. Je pense qu'elle m'en saura gré dans quelque temps. Je vois tout à fait le genre de type qu'elle va épouser : riche, mondain, snob.

Si j'ai mis tant de temps à comprendre que je faisais fausse route, c'est que je la voyais peu... Mais la découvrir ici, dans la maison de Joseph, m'a ouvert les yeux.

— Tu crois qu'elle va vraiment essayer de se venger ?

— Non. Elle va reprendre une vie sociale effrénée et tourner rapidement la page. Je parie que dans quelques jours elle annoncera à qui veut l'entendre qu'elle est beaucoup plus heureuse depuis qu'elle m'a laissé tomber !

Quelques instants plus tard, ils entendirent vrombir la voiture d'Isobel : elle était partie !

Quand, avant que Bruno ne les rejoigne pour le dîner, Katy apprit à Joseph le départ d'Isobel et sa dispute avec Bruno, il ne put cacher sa satisfaction.

— Bon débarras ! dit-il. Elle n'était vraiment pas faite pour lui !

Katy se demanda quelle femme était faite pour Bruno, mais se tut : il arrivait. Peu après la salade de fruits de mer que Maggie leur servit en entrée, il annonça sa rupture à son parrain, sans lui donner plus d'explications. Toujours délicat, Joseph n'en demanda pas, mais il était clair que cette nouvelle ne l'attristait pas, bien au contraire.

Les deux hommes se mirent alors à discuter à bâtons rompus. Katy les écoutait d'une oreille distraite : ses pensées la ramenaient inlassablement à ce moment magique où Bruno l'avait embrassée. Elle se souvenait de la moindre seconde de leur baiser passionné, de la pression des lèvres de Bruno sur sa bouche, de sa langue qui cherchait la sienne avec une affolante impudeur, de sa façon possessive de la serrer contre lui pour qu'elle n'ait pas le moindre doute sur la réalité de son désir. Quoi qu'il puisse se passer à l'avenir dans son existence, ce moment resterait gravé dans sa mémoire comme un instant de grâce...

— Tu m'as entendu, Katy ? demanda Bruno.

Elle sursauta et eut un sourire gêné.

— Excuse-moi, j'étais ailleurs, balbutia-t-elle. Tu disais ?

— Je proposais un petit cognac dans le salon.

— Je prendrai seulement une larme, Katy, ne t'inquiète pas, intervint Joseph avec un clin d'œil taquin. Je sais que tu me surveilles !

Par-dessus la table, elle posa la main sur celle du vieil homme avec affection.

— Mais non, Joseph ! protesta-t-elle en souriant. Un peu de cognac ne vous fera pas de mal… Et puis, demain, vous n'en nagerez que mieux !

Joseph pressa la main de la jeune femme et se tourna vers Bruno.

— Elle est adorable, n'est-ce pas ? Je ne sais pas ce que je ferais sans elle, ajouta-t-il avec un soupir.

— Allez dans le salon, je vous rejoins, suggéra Katy en évitant le regard de Bruno, qu'elle sentait posé sur elle.

Une fois que les deux hommes eurent quitté la table, elle prit son temps pour débarrasser et ranger la cuisine. Sans se l'avouer, elle cherchait par tous les moyens à retarder le moment où elle serait de nouveau en présence de Bruno. Joseph ne se couchait jamais tard : s'ils se retrouvaient en tête à tête après son départ, Bruno risquait d'évoquer ce qui s'était passé entre eux, et elle paniquait à cette seule idée.

Impossible pourtant de se réfugier dans sa chambre en cati-mini comme elle en mourait d'envie, se dit-elle au bout d'une demi-heure. Si elle n'apparaissait pas, Bruno était capable de venir la chercher où qu'elle soit. Elle devait le rejoindre…

Quand elle poussa sans le moindre enthousiasme la porte du salon, elle constata avec appréhension que ses craintes se confirmaient : Bruno était seul dans la pièce, assis sur le canapé, les yeux fixés sur la porte comme s'il n'attendait qu'elle.

Elle s'installa à son tour dans un fauteuil en affichant un air détaché. Pourquoi semblait-il si préoccupé ? se demanda-t-elle en tentant de se raisonner. Pour elle comme pour lui, ce baiser n'était rien d'autre que la traduction d'une attirance physique passagère, rien de plus ! Inutile d'en faire toute une histoire…

— Joseph était fatigué, expliqua Bruno. Je l'ai aidé à monter dans sa chambre.

— Tu aurais dû m'appeler !

— Pourquoi ? Je suis parfaitement capable de m'occuper de mon parrain ! Et en plus, tu étais encore en train de faire la soubrette zélée !

Elle haussa les épaules, agacée.

— Qu'est-ce que tu racontes ? protesta-t-elle. J'ai rangé un peu, c'est tout !

Il était enfoncé dans le canapé, la mine sombre, ses longues jambes croisées devant lui, un verre vide à la main. La bouteille de cognac était à moitié entamée, et Katy conclut à sa posture alanguie qu'il avait dû boire plus que de raison. Peut-être tentait-il d'oublier Isobel ? Elle lui manquait probablement déjà et il regrettait d'avoir rompu. Oui, c'était certainement l'explication de son air morose.

— D'accord, d'accord ! reprit-il avec impatience. Mais dans ce cas, cela signifie que tu m'évites. Et je voudrais bien savoir pourquoi, ajouta-t-il en vidant son verre qu'il posa brutalement sur la table basse. Est-ce parce que je t'ai embrassée ?

A la seule évocation de leur baiser, Katy sentit son pouls s'accélérer, mais réussit à se dominer. Bruno ne devait surtout pas deviner son trouble.

— Je n'ai pas envie de parler de ça, Bruno, déclara-t-elle d'un ton sec. Et si je puis me permettre, tu devrais arrêter de boire…

Il se redressa péniblement et la fixa d'un air concentré.

— Je te promets que je ne boirai plus une goutte si tu viens t'asseoir à côté de moi, annonça-t-il, soudain solennel.

Katy hésita un instant puis avança de quelques pas mal assurés, partagée entre l'envie irrépressible de s'approcher de lui et la volonté de paraître indifférente.

Avec un sourire, Bruno tapota la place à côté de lui en signe d'invite, comme il l'aurait fait avec un enfant.

— Viens, murmura-t-il.

Plus morte que vive, Katy s'exécuta. Son cœur battait si fort qu'elle avait presque l'impression que Bruno pouvait l'entendre.

— Je suis désolée pour Isobel, balbutia-t-elle, éperdue.

Peut-être allait-il s'épancher, lui avouer combien il regrettait d'avoir perdu sa fiancée ? Dans ce cas, elle tenterait de le consoler. Mais il n'en fit rien.

— Pourquoi ? rétorqua-t-il avec cynisme. Tu ne l'appréciais pas !

— Nous n'avions pas beaucoup de points communs, répondit-elle, évasive.

Il se redressa et, d'un geste las, passa la main dans ses cheveux bruns, tandis qu'une ombre assombrissait encore son regard noir.

— De toute façon, il n'y a rien à regretter, asséna-t-il brutalement. Je suis infiniment soulagé que tout soit fini entre nous, et tu devrais t'en réjouir avec moi.

Katy le regardait, fascinée par la longueur incroyable de ses épais cils noirs. Une bouffée de joie l'envahit quand elle réalisa qu'il était satisfait de la situation.

— Pourtant, une relation qui s'arrête, c'est toujours triste, fit-elle observer. Même si pour toi, c'est sûrement différent… J'imagine que tu as eu quantité de liaisons féminines, ajouta-t-elle sans réfléchir.

Elle regretta aussitôt sa remarque. Qu'avait-elle besoin d'en savoir plus sur ses aventures passées ? Sa vie sentimentale ne la regardait pas !

— C'est incroyable comme tu peux te faire des idées sur moi ! s'exclama-t-il, agacé. Le cliché du séducteur alignant les conquêtes a la vie dure… En réalité, tu ne sais rien de moi.

— Désolée, murmura-t-elle, confuse.

Il sembla se détendre tout à coup et un sourire adoucit son expression soupçonneuse.

— Tu es vraiment désolée ? demanda-t-il d'une voix sourde.

Il la fixait avec une telle intensité qu'elle sentit une vague de chaleur l'envahir. L'éclat brillant de son regard sombre la déstabilisait profondément. Quel message voulait-il lui transmettre ? songea-t-elle, affolée. Son attitude étrange était-elle le seul fait de l'alcool ?

— Dans ce cas, je te pardonne, reprit-il avec un clin d'œil de connivence qui acheva de lui faire perdre ses moyens.

Il avança la main et lui saisit le poignet. Paralysée par l'émotion, elle se laissa faire. Alors, de son pouce, il caressa la peau douce, là où les veines affleuraient, et elle en eut le souffle coupé. C'était un geste anodin en apparence, mais empreint d'une telle charge de sensualité qu'un long frisson la parcourut.

Elle réalisa alors que depuis l'épisode de la piscine, elle vivait dans l'espoir qu'il la reprenne dans ses bras. Elle aurait tout donné pour retrouver le contact de son corps, le goût de ses lèvres… Si elle restait sur ce canapé auprès de lui, elle ne répondait plus d'elle-même. Il l'avait envoûtée…

— Il faut que je parte, chuchota-t-elle, éperdue.

Il se rapprocha d'elle et leurs cuisses se frôlèrent.

— Te laisser partir ? Ce n'est pas du tout ce que j'avais en tête, murmura-t-il. Je pensais plutôt que nous reprendrions là où nous en étions tout à l'heure…

7.

— Là où nous en étions tout à l'heure ? répéta Katy d'une voix blanche.

— Oui. Sauf que tu portais moins de vêtements…

Il la prit par la taille et l'attira à lui.

— Il me semble que c'est là que nous nous étions arrêtés, chuchota-t-il en cherchant sa bouche.

— Bruno, non…, balbutia-t-elle dans un dernier et inutile sursaut de raison.

L'embrasser n'avait aucun sens, mais comment résister aux forces irrépressibles qui la poussaient vers lui ? Elle combattait pour l'honneur, car elle était déjà vaincue…

— Allons, Katy, tu en as autant envie que moi, murmura-t-il en lui effleurant la nuque de son souffle chaud.

Il se pencha et elle lui tendit ses lèvres, accueillant son baiser avec avidité. Leur étreinte à la piscine avait éveillé en elle un désir qu'elle n'avait jamais éprouvé et dont la violence même l'effrayait. Ils s'embrassèrent longuement, passionnément, et elle ne pensa plus à rien qu'au plaisir de sentir la bouche de Bruno accaparer la sienne. Quand il la lâcha enfin, la tête lui tournait. Il lui fallut quelques secondes pour reprendre ses esprits. Peut-être était-il encore temps de tout arrêter ? songea-t-elle alors dans un éclair de lucidité. L'idée de repousser Bruno lui brisait le cœur, mais se donner à lui était une folie !

— Bruno, ceci ne rime à rien, protesta-t-elle d'une voix étranglée. L'alcool t'empêche de réfléchir ; je suis sûre que dès demain, tu regretteras ton geste !

Il la serra contre lui et lui ferma la bouche d'un rapide baiser.

— Je n'ai pas besoin de boire pour avoir envie de toi, Katy, expliqua-t-il en la regardant droit dans les yeux. Et d'ailleurs, tu te méprends, je n'ai pas trop bu : la bouteille était déjà bien entamée quand nous nous sommes servis, Joseph et moi ! Rassure-toi, je suis en parfaite possession de mes moyens, et je sais très bien ce que je fais. Oui, j'ai envie de toi…, répéta-t-il d'une voix rauque. Envie de toi comme je n'ai jamais eu envie d'aucune femme.

De joie, Katy sentit son cœur tambouriner dans sa poitrine. Elle avait du mal à croire que c'était à elle qu'il parlait, et pourtant, elle ne rêvait pas !

— Si nous montions dans ma chambre ? suggéra-t-il alors de sa voix rauque aux accents sensuels. Un lit, c'est quand même mieux pour faire l'amour, tu ne trouves pas ?

— Faire l'amour…, répéta-t-elle d'une voix blanche, comme si ces mots n'avaient aucun sens pour elle.

— Oui : faire l'amour, confirma-t-il avec calme. C'est ce qui se passe quand un homme et une femme sont attirés l'un par l'autre… Comme toi et moi en ce moment…

De son index, il dessina lentement l'ovale parfait de son visage, puis descendit le long de son cou gracile vers le creux de son décolleté, jusqu'au sillon de sa poitrine. Aussitôt la jeune femme sentit les pointes de ses seins se durcir, ce que Bruno ne manqua pas de remarquer, bien sûr.

— Tu vois, toi aussi tu en as envie, affirma-t-il d'un ton persuasif. Inutile de prétendre le contraire, je ne te croirai pas ! Il suffit de te laisser aller, Katy. Ce que nous allons faire est la chose la plus naturelle et la plus belle au monde ! Viens, allons dans ma chambre…, ajouta-t-il en se levant.

— Mais… tu oublies Joseph…

— Joseph dort à poings fermés, assura Bruno. Ne t'inquiète pas, nous serons seuls au monde. Viens, reprit-il en la prenant par la main et en la forçant à se lever à son tour.

Le cœur battant à tout rompre, elle monta l'escalier à sa suite. Il la dominait de sa haute stature, si viril et impressionnant qu'une crainte la saisit. Au lit, serait-elle à la hauteur de ses attentes ? Aurait-elle le courage de lui avouer ce qui lui brûlait les lèvres ?

Ils traversèrent le long couloir sans faire de bruit, comme des conspirateurs, songea-t-elle malgré elle. La chambre de Bruno était éclairée d'une douce lumière tamisée et, dans la semi-pénombre, le grand lit parut démesuré à la jeune femme. Le souffle lui manqua quand elle songea que, dans quelques minutes, si elle ne rétablissait pas la situation, elle s'allongerait sur les draps de lin aux côtés de Bruno. Il fallait tout arrêter alors qu'il en était encore temps.

Sans la quitter des yeux, Bruno commença tranquillement à défaire les boutons de sa chemise. Il semblait si sûr de lui qu'une terrible appréhension la saisit. Elle devait parler, avant qu'il ne soit trop tard ! Quand il saurait, il souhaiterait probablement qu'elle s'en aille…

— Bruno, commença-t-elle d'une voix étranglée. Il faut que je te dise quelque chose…

Il lui sourit tout en ôtant sa chemise et elle découvrit, bouleversée, ses larges épaules et ses impressionnants muscles pectoraux. Il était si fort, si séduisant ! songea-t-elle éblouie et affolée tout à la fois.

— Nous avons mieux à faire que discuter, tu ne trouves pas ? rétorqua-t-il d'un ton amusé.

— Non. C'est maintenant que je dois te parler.

Il comprit soudain à son expression figée qu'elle était sérieuse.

— Soit. Qu'as-tu de si important à me dire, Katy ? demanda-t-il d'un ton perplexe.

Elle baissa les yeux, au supplice.

— Voilà, commença-t-elle d'une voix mal assurée. Etant donné les cercles que tu fréquentes, les femmes qui t'entourent, je…

— J'espère que tu ne vas pas te lancer dans une de ces explications alambiquées dont tu as le secret ! l'interrompit-il brutalement.

— Que veux-tu dire ?

— Que si tu as quelque chose à m'annoncer, fais-le tout de suite, sans détours !

Une vague de frustration qu'il n'avait jamais ressentie jusque-là s'empara de lui. Il savait ce qui allait arriver : prise d'angoisse, incapable d'assumer son désir, Katy avait changé d'avis et s'apprêtait à partir. L'idée qu'elle allait lui échapper lui paraissait si insupportable qu'il se sentait prêt, pour la première fois de sa vie, à supplier une femme de se donner à lui…

Il croisa les bras sur sa poitrine avec détermination et la fixa d'un regard aigu.

— Je t'écoute, asséna-t-il. Va droit au but !

— Je…

— Vas-y, Katy, venons-en au fait. Quel est le problème ?

— C'est que… je ne suis pas comme les femmes que tu fréquentes d'habitude. Sophistiquées, habituées à séduire… Comme Isobel, par exemple.

— Et alors ?

Pourquoi lui rendait-il la tâche si difficile ? songea Katy, au bord des larmes. Ne pouvait-il pas deviner, lui épargnant ainsi d'avoir à prononcer ces mots qui lui brûlaient les lèvres ?

— Voilà, Bruno, je… je suis encore vierge, acheva-t-elle dans un souffle.

Les bras ballants, il la dévisagea avec un regard fixe qu'elle ne parvint pas à déchiffrer. Il la prenait certainement pour une laissée pour compte, il avait pitié d'elle ! songea-t-elle, mortifiée. Que n'aurait-elle donné pour s'enfuir en courant ! Mais comment lui expliquer qu'elle n'avait jamais éprouvé pour aucun autre ce désir brut et irrépressible qu'il avait éveillé en elle et qui la consumait ?

— A mon âge, c'est lamentable, n'est-ce pas ? balbutia-t-elle alors pour briser le silence qui devenait de plus en plus pesant.

Le visage grave, il avança de quelques pas vers elle. Probablement pour lui annoncer qu'il préférait en rester là, s'imagina-t-elle avec horreur.

— Pas du tout, affirma-t-il alors d'une voix douce.

— Mais ça change tout pour toi ! insista-t-elle d'une voix étranglée. Tu es habitué à des femmes expertes, qui savent te donner du plaisir, qui…

Bruno la fit taire en lui posant délicatement un doigt sur la bouche. Il hésitait à lui avouer à quel point apprendre qu'il serait le premier le bouleversait, mais se tut. Il voulait avant tout la rassurer, apaiser la crainte qu'il sentait monter en elle. Il ferait tout pour que cette initiation soit pour elle un enchantement.

— Peu importe ce qui s'est passé avant, murmura-t-il. Ce qui compte, c'est toi et moi, maintenant. Et tu n'as rien à craindre : je serai très doux, très patient…

Il se pencha et lui effleura les lèvres d'un baiser furtif, portant au paroxysme l'émotion de la jeune femme. L'appréhension le disputait en elle à l'excitation…

— Est-ce qu'on peut éteindre les lumières ? demanda-t-elle d'une petite voix.

Il s'écarta légèrement.

— Certainement pas ! rétorqua-t-il en souriant.

Sans la quitter des yeux, il se mit alors à défaire les boutons de sa robe-chemisier avec des gestes calmes et précis, ce qui acheva d'affoler la jeune femme. Comment pouvait-il être si maître de lui alors qu'elle avait l'impression que le sol vacillait sous ses pieds ? se demanda-t-elle, éperdue.

De ses doigts, il lui effleurait la poitrine, la taille, les hanches, et elle ne put retenir un frémissement. Il lui semblait qu'il électrifiait son corps tout entier, que tel un musicien virtuose, il faisait vibrer en elle des cordes sensibles dont elle ne soupçonnait même pas l'existence. Comment supporterait-elle la suite, si cette seule caresse la transportait déjà au septième ciel ?

La robe tomba à terre dans un bruissement d'étoffe, et Katy apparut dans ses simples sous-vêtements de coton blanc. Bruno s'écarta pour mieux la contempler et ils restèrent ainsi face à face pendant un temps qui parut une éternité à la jeune femme. Jamais aucun homme ne l'avait regardée avec une telle impudeur… C'était comme si, déjà, il lui faisait l'amour avec les yeux, se dit-elle.

Bruno, de son côté, ne se lassait pas de l'observer, bouleversé par la grâce et la finesse de ce corps de femme qui avait si violemment éveillé son désir à la piscine. Avec ses seins menus, sa discrète cambrure, elle n'avait aucune des rondeurs que les hommes recherchent d'ordinaire, mais sa féminité n'en était que plus émouvante. Ainsi vêtue de coton blanc, elle était plus excitante et sensuelle que si elle avait porté des dessous affriolants. Tout en elle était vrai, sans artifices… Elle était si différente de toutes les femmes qu'il avait connues jusque-là !

Le désir montait en lui, inexorable. Il avança la main et abaissa une bretelle de son soutien-gorge, puis une autre. Ensuite, il dégrafa l'attache dans son dos sans cesser de la dévorer des yeux. Elle soutint son regard sans faillir. Quand son soutien-gorge tomba au sol, elle sembla éprouver une intense fierté à se montrer nue devant lui. Ses mamelons durcis étaient une invitation aux caresses et aux baisers, et il ne résista pas à leur appel. D'abord, il avança la main pour couvrir le galbe d'un sein, et elle se cambra plus encore pour mieux lui offrir sa poitrine.

— Tu es si belle, si belle ! murmura-t-il d'une voix rauque.

N'y tenant plus, il se pencha soudain et goûta alternativement la pointe de ses seins comme s'il s'agissait de deux fruits mûrs. Le plaisir était si intense qu'un cri échappa à Katy, attisant encore un peu plus le désir de Bruno.

Alors il la saisit dans ses bras et l'emmena vers le lit, où il la déposa délicatement. Puis il se débarrassa à la hâte de ses vêtements. Il avait besoin de serrer Katy contre lui, de s'emplir de son parfum enivrant, de sentir sa peau nue contre la sienne. Il la rejoignit entre les draps de lin et ils s'étreignirent à s'étouffer. Ils étaient prêts pour le long et merveilleux voyage qui allait commencer.

Toute appréhension avait quitté Katy. D'instinct, elle savait qu'ils chemineraient ensemble au même rythme, et que ce qui les attendait au bout de ce périple serait source d'une joie infinie. Elle avait confiance : Bruno la guiderait…

Commença alors une extraordinaire découverte mutuelle : dans le grand lit aux draps fleurant bon la lavande, ce ne fut bientôt plus que gémissements, soupirs, râles de plaisir. Parfois Bruno et Katy s'arrêtaient pour reprendre leur respiration et se regarder, éblouis de ce qu'ils étaient en train de vivre, de cette communion absolue qui les réunissait. D'abord surprise par l'impudeur de certaines caresses de Bruno, Katy s'enhardit peu à peu et osa à son tour les baisers les plus audacieux, des gestes que même dans ses rêves les plus fous elle n'avait jamais imaginés.

Insatiables, les deux amants s'exploraient mutuellement sans aucune retenue, comme si nulle parcelle de leurs corps ne devait leur rester inconnue. Rien ne pouvait les faire cesser de s'embrasser, de se goûter, de se toucher… Toute réserve avait abandonné Katy. Pour la première fois de sa vie, grâce au regard de Bruno, elle se sentait pleinement femme.

Elle se plia à ses fantaisies les plus érotiques, émerveillée du plaisir qu'il pouvait lui donner, là où personne ne l'avait jamais touchée. Que serait-ce quand, enfin, il la ferait sienne ? Elle craignait de ne pas pouvoir supporter l'intensité du bonheur physique à venir…

Leur désir avait atteint son paroxysme. Bruno s'écarta quelques instants pour se protéger, mais Katy s'en aperçut à peine. Ses sens étaient exacerbés, et elle sentait confusément que seule l'union finale parviendrait à les apaiser, à étancher cette soif insatiable qu'elle avait de lui.

Il la pénétra avec une infinie délicatesse, réfrénant l'urgence de son désir pour s'assurer qu'elle était prête. Bouleversé, il la sentit s'ouvrir à lui comme une fleur écarte ses pétales pour s'offrir au soleil et il s'émut en songeant au don si précieux qu'elle lui faisait d'elle-même.

Puis ce fut un enchantement partagé, une lente montée vers la communion finale, et pour Katy la découverte de contrées jusque-là inexplorées. L'émotion était si forte qu'elle s'accrocha à Bruno comme un nageur en perdition, criant son plaisir. Plus rien ne comptait que son corps d'homme sur le sien et le rythme de plus en plus affolant de leur danse érotique. Enfin, mêlant leurs gémissements, ils atteignirent ensemble le sommet de la volupté, et s'effondrèrent épuisés et comblés dans les bras l'un de l'autre.

Quand elle reprit enfin conscience du monde extérieur, Katy s'aperçut que Bruno la fixait d'un regard aigu et un doute la saisit.

— Tu n'as pas été déçu ? demanda-t-elle d'une petite voix.

Pour toute réponse, il la serra contre lui à l'étouffer.

— Tu es folle ! protesta-t-il contre son oreille. C'était… je ne peux pas trouver les mots, avoua-t-il.

Elle lui adressa un sourire si lumineux qu'il se sentit fondre. Il lui passa un bras autour de la taille et l'attira à lui.

— Je crois que je pourrais m'endormir, murmura-t-elle en se lovant contre lui. Mais il faut que je retourne dans ma chambre, ajouta-t-elle aussitôt. Joseph ne doit pas deviner ce qui s'est passé…

Le regard de Bruno s'assombrit, ce qui inquiéta aussitôt Katy. Certes, ils venaient de vivre un moment d'exception dans les bras l'un de l'autre, mais ce n'était qu'un moment, une extra-ordinaire expérience sexuelle, rien de plus, se dit-elle, soudain lucide. Elle devait redescendre sur terre…

— Que s'est-il passé ? interrogea-t-il d'un ton abrupt.

En plein désarroi, elle hésita à répondre. Il craignait proba-blement qu'après lui avoir offert sa virginité, elle attende de lui un quelconque engagement. Or il n'était pas prêt à s'engager, il l'avait clairement montré. En tout cas, certainement pas avec elle…

— Que s'est-il passé ? insista-t-il.

— Tu sais bien… Cet échange physique que nous venons d'avoir, répondit-elle lamentablement.

— Echange physique ? répéta-t-il, incrédule.

— Oui. Quand tu me touches, je ne peux pas résister, avoua-t-elle d'une voix à peine audible. Mais ne crains rien, Bruno, je ne vais pas me mettre à m'imaginer des choses, ajouta-t-elle à la hâte pour ne pas l'effrayer.

— Des choses ?

— Oui. Comme une relation permanente ou quoi que ce soit de ce genre… Je sais bien qu'il n'est pas question de ça.

Elle le regarda, attendant qu'il confirme ou tout au moins qu'il manifeste son soulagement, mais il resta muet, une étrange expression sur le visage. Ce fut elle qui rompit un silence qui devenait pesant.

— Je retourne dans ma chambre, annonça-t-elle.

— Attends, Katy, fit-il d'une voix tendue. Je veux savoir pourquoi je suis le premier. Tu as eu des petits amis avant moi ! Pourquoi n'as-tu jamais couché avec eux ?

Il aurait été si simple de lui dire qu'il était le seul homme qui ait jamais compté vraiment pour elle ! Mais elle devait se taire, jouer l'indifférence : le contraire le ferait définitivement fuir. A aucun prix il ne devait soupçonner l'intensité de ce qu'elle ressentait pour lui.

— Je ne sais pas, répondit-elle, évasive. On n'a jamais été jusque-là, voilà.

— Alors vous ne deviez pas être très amoureux ! fit-il observer, soudain provocateur.

Elle se redressa sur un coude et lui jeta un regard faussement outré.

— Si, bien sûr ! Mais j'étais plus jeune, et…

— J'ai beaucoup de mal à me concentrer sur ce que tu dis quand me montres ainsi ta poitrine. C'est trop tentant !

Il se pencha et embrassa la pointe dressée d'un sein.

— Arrête ! s'écria-t-elle en riant.

— Tu as raison, fit-il en s'écartant et en affichant une mine soudain sérieuse. Nous en étions à tes petits amis. Pas vraiment à la hauteur comme amants, il me semble !

— Je t'en prie ! protesta-t-elle pour la forme. Je ne suis pas aussi inexpérimentée que tu le crois !

Elle se garda bien de lui avouer qu'elle n'avait eu que deux histoires un peu sérieuses, et que ni Paul ni James ne l'avaient jamais bouleversée comme lui savait le faire d'un seul regard.

Il l'attira à lui et déposa une pluie de baisers sur son visage.

— Comment veux-tu que je me concentre ? demanda-t-elle en retenant un gémissement.

— Tu n'as pas à te concentrer, sauf sur moi ! répliqua Bruno en lui fermant la bouche d'un baiser. Que dirais-tu d'une autre séance de… comment appelles-tu ça ? Ah oui, échange physique !

En guise de réponse, elle lui jeta un regard brûlant de désir. Elle était trop émue pour parler…

Cette fois, ils firent l'amour avec une lenteur calculée, décidés à ne pas brûler les étapes, à profiter au maximum de chaque baiser, de chaque caresse. Etendu sur le dos, Bruno guida la jeune femme sur lui et, la maintenant par les hanches, la laissa trouver tout naturellement le rythme de l'amour jusqu'à l'éblouissement final. Quand ils furent comblés, Katy s'allongea sur Bruno, incapable de se détacher de lui.

Puis la réalité reprit brutalement droit de cité et elle s'écarta de lui, le cœur déchiré. Elle aurait tout donné pour passer la nuit dans son lit, le regarder dormir, se réveiller le matin dans ses bras, mais c'était impossible. Il ne le souhaitait pas…

— Il faut que je regagne ma chambre, murmura-t-elle d'une voix qui par miracle ne tremblait pas. Si j'en ai la force… Tu aurais dû m'avertir que faire l'amour était si épuisant !

— Et encore, tu n'as rien vu ! lança-t-il en riant. Mais je ne te laisserai pas partir avant que tu ne m'aies raconté un peu ta vie sentimentale…, ajouta-t-il plus sérieusement.

— Il n'y a pas grand-chose à dire, tu sais. Aucun de mes petits amis ne s'est avéré être l'homme de ma vie…

— Tant mieux ! Car si tel avait été le cas, tu ne serais pas dans mes bras aujourd'hui…

Katy comprit tout à coup qu'elle devait mettre les choses au point tant qu'elle en avait encore le courage. Plus elle attendrait, moins elle aurait la force de prononcer des paroles qu'elle ne pensait pas au fond d'elle-même, mais qui étaient les seules appropriées. Il fallait couper court à cette relation, tout de suite !

Elle quitta le lit sans laisser à Bruno le temps de réagir et commença à ramasser ses vêtements. Intrigué, il l'observa se rhabiller sans mot dire.

— Restons-en là, Bruno, déclara-t-elle au prix d'un douloureux effort. Tu penses probablement que si je me suis donnée à toi si facilement, c'est que…

— Je ne pense rien, Katy ! coupa-t-il brutalement. Sinon que nous avons fait l'amour parce que nous en avions envie tous les deux !

— Nous ne parlons pas le même langage, poursuivit-elle d'une voix étranglée. Tu es habitué à séduire, à conquérir, à voir des femmes te tourner autour, et tout ça ne représente rien pour toi ! Tu t'amuses un peu avec moi pendant ton séjour forcé ici, et dès que tu seras retourné à Londres, ce sera de l'histoire ancienne !

Il la dévisagea avec une stupéfaction incrédule.

— Mais enfin, Katy, où est le problème ? Pourquoi une réaction aussi disproportionnée ? Personne ne parle d'amour éternel et de prince charmant ! Nous sommes deux adultes libres et consentants, merveilleusement complémentaires au lit ! C'est aussi simple que cela ! Je n'ai pas l'impression de t'avoir manqué de respect, que je sache ! Que cherches-tu exactement alors que nous nous connaissons à peine ?

Poussée à bout, elle faillit éclater en sanglots et lui avouer qu'elle le désirait à la folie, mais se contint. A quoi bon crier qu'elle voulait tout de lui, qu'elle tenait trop à lui pour transiger ?

— Nous n'aurions pas dû, répéta-t-elle, butée. Tout ça est ma faute. J'aurais dû comprendre…

— Comprendre quoi ? s'écria-t-il, impuissant.

— Que nous n'envisageons pas l'existence de la même façon.

Pour Bruno, cette dernière réflexion fut la goutte d'eau qui fit déborder le vase. Il ne s'expliquait pas les reproches de Katy, cette brusque volte-face. Quelques instants auparavant, ils étaient amoureusement enlacés, et voilà qu'elle s'enfuyait comme s'ils avaient commis un crime, en lui faisant des reproches auxquels il ne comprenait pas un traître mot !

— Je ne sais pas quel but tu poursuis dans la vie, Katy, mais ta méthode n'est pas la bonne, déclara-t-il alors d'une voix glaciale. Tant que tu n'assumeras pas tes choix et tes pulsions, tant que tu te complairas dans la culpabilité, tu seras malheureuse. En tout cas, ce sera sans moi… J'ai passé l'âge de ce genre de petit numéro…

Il s'assit sur le lit et, sans la regarder, enfila son pantalon.

— Auras-tu besoin de moi demain pour travailler ? demanda-t-elle enfin d'une voix à peine audible.

— Peut-être dans l'après-midi, répondit-il d'un ton détaché qui acheva d'anéantir la jeune femme. Je serai absent demain matin. Je te tiendrai au courant, conclut-il en reboutonnant sa chemise sans plus prêter attention à elle.

Il n'aurait pas pu lui signifier plus clairement qu'il l'avait assez vue, songea Katy, le cœur brisé. Elle quitta la pièce sans ajouter un mot. Ce n'est qu'une fois dans sa chambre qu'elle laissa libre cours à ses sanglots…

Le lendemain, Bruno ne se montra ni au petit déjeuner ni au déjeuner. Lors de leur traditionnelle promenade de l'après-midi dans le parc, Katy, n'y tenant plus, demanda à Joseph s'il savait où se trouvait son filleul.

— Il devait assister à une réunion à Londres, je crois, répondit celui-ci.

— La ville doit lui manquer, fit observer Katy après un silence. Il est habitué à une vie bien plus mouvementée que la nôtre, j'en suis sûre.

— Oui, c'est un grand changement pour lui d'habiter ici, déclara Joseph. Comme ce le sera pour nous quand il partira. Il te manquera ?

— Oh, non ! s'écria Katy d'un ton forcé. J'ai été ravie de mieux le connaître, ajouta-t-elle à la hâte pour tenter de donner le change à Joseph, mais je serai soulagée de reprendre notre rythme tranquille.

Sa voix s'étrangla dans sa gorge et elle sourit bravement pour masquer son émotion.

Non, dorénavant rien ne serait plus comme avant, songea-t-elle, déchirée. Bruno avait fait irruption dans sa vie, bouleversant son système de valeurs qu'elle croyait si bien établi, faisant voler en éclats ce calme et cette tranquillité dont elle s'était jusque-là toujours satisfaite. Il avait éveillé en elle le désir, la passion, l'émotion, et une multitude de sensations aussi nouvelles que merveilleuses qui changeaient à tout jamais sa vision de l'existence. Désormais, sans lui, le monde serait dépourvu de cette magie que suffisait à déclencher un seul de ses regards, de ses sourires.

Si seulement son attirance pour lui n'avait été que physique ! Mais non, elle avait eu la folie de tomber amoureuse de lui, de se donner à lui tout entière, corps et âme, et elle se retrouvait à présent face à un abîme de solitude et de souffrance. Car, à l'évidence, elle n'était pour lui qu'une aventure passagère. Peut-être l'avait-il déjà oubliée ? Quant à elle, elle vivrait pour le restant de ses jours avec le souvenir aussi émerveillé que douloureux de cette parenthèse enchantée.

— Bruno avait l'air de se plaire ici, dit Joseph en la regardant du coin de l'œil.

— Bien sûr, car il était avec vous ! commenta Katy. Mais un homme habitué comme lui à la vie trépidante de New York et de Londres, aux déjeuners d'affaires, aux sorties mondaines, doit être heureux de se retrouver enfin dans son élément après avoir goûté aux joies de la campagne.

Agrémentées en l'occurrence d'un peu de compagnie féminine, ajouta-t-elle en son for intérieur avec une amère lucidité.

— Détrompe-toi, Bruno est très sensible à la nature, fit remarquer Joseph. Même s'il n'en est pas toujours conscient… Peut-être allons-nous le voir plus souvent à partir de maintenant ?

Katy garda le silence. Inutile de décevoir le vieil homme : Bruno s'était promis de rester jusqu'au complet rétablissement de son parrain, ce qui était chose faite. Désormais, son départ n'était plus qu'une question de jours…

8.

— Ce soir, je me couche tôt, annonça Joseph. Mon ami Dave vient me chercher à 9 heures demain matin ; il m'emmène au club de bridge où nous allons retrouver plein de sémillants octogénaires dans notre genre, ajouta-t-il en riant. Tu devrais aussi aller te reposer, Katy. Tu as l'air fatigué.

La jeune femme ne protesta pas. Elle était épuisée, en effet, plus nerveusement que physiquement, mais il était inutile de le préciser à Joseph.

Elle ne cessait de se reprocher sa naïveté. Pourquoi n'avait-elle pas combattu cet amour pour Bruno dès qu'elle l'avait senti se développer en elle ? Comment, sachant à quel point il comptait pour elle, avait-elle pu commettre l'erreur de se donner à lui ? Elle aurait dû l'éviter, le repousser, ériger entre eux un fossé infranchissable ! Au contraire, elle lui avait accordé ce qu'elle avait de plus précieux et qu'elle n'avait jamais accordé à aucun homme !

Quelle stratégie adopter à présent ? Continuer à travailler pour Joseph, c'était se condamner à croiser Bruno de temps à autre, et donc rouvrir chaque fois des plaies à peine cicatrisées. Mais partir, n'était-ce pas abandonner lâchement Joseph, qui avait plus que jamais besoin d'elle et pour lequel elle éprouvait tant d'affection ?

Partir, c'était aussi s'interdire définitivement tout contact avec Bruno, et cette perspective lui brisait le cœur. Pourquoi ne pas transiger, accepter ce qu'il était capable de lui donner, une relation certes éphémère mais qui lui permettrait de connaître encore le bonheur pour quelques semaines, quelques mois peut-être, jusqu'à ce qu'il se lasse d'elle ?

Katy se tourna et se retourna dans son lit sans pouvoir s'endormir. La nuit était déjà bien avancée quand elle plongea enfin dans un sommeil lourd et agité.

Le lendemain matin, des coups frappés à sa porte la réveillèrent en sursaut. Elle se précipita au bas du lit, enfila un peignoir et alla ouvrir. Joseph se tenait dans le couloir, un large sourire aux lèvres.

— Petite coquine ! lança-t-il d'un air ravi.

— Mais…

— Je me doutais bien qu'il y avait quelque chose entre vous, mais je comprends que vous ayez voulu garder votre secret aussi longtemps que possible !

Katy passa une main dans ses cheveux ébouriffés. Elle ne comprenait pas un traître mot de ce que son ami racontait.

— Dave s'est décommandé ? demanda-t-elle.

— Non, non, il arrive. Je viens juste d'apprendre la nouvelle et je voulais te dire combien je suis heureux. Je peux rentrer un instant en l'attendant ?

De plus en plus stupéfaite, Katy fit signe à Joseph de s'asseoir.

— Quand je pense que tu m'as parlé du départ de Bruno pas plus tard qu'hier soir ! s'exclama Joseph en riant. Bien joué, ma chère Katy, je n'y ai vu que du feu ! Même si j'avais remarqué ta nervosité grandissante ! Si tu savais comme cette nouvelle me comble !

— Mais… quelle nouvelle ? bredouilla enfin Katy.

— Bien sûr, tu me manqueras beaucoup, reprit Joseph comme s'il n'avait rien entendu. Mais je viendrai vous voir, et vous ferez des séjours ici, j'en suis sûr ! Sauf si je dois quitter la maison : car le seul petit problème est qu'il va falloir te trouver une remplaçante, et, ça, ce sera difficile !

— Une remplaçante ? répéta Katy, les yeux écarquillés.

— Oh, peu importe ! s'écria Joseph en se levant. C'est une question mineure comparée à la joie que me procure l'annonce de ton mariage avec Bruno ! Bon, je te laisse, j'entends la voiture de Dave. Nous reparlerons de ça tout à l'heure, à tête reposée !

Après le départ de Joseph, Katy resta immobile au milieu de la pièce. Au fur et à mesure qu'elle réalisait l'énormité de ce qu'elle venait d'entendre, son visage blêmissait. Il fallait absolument tirer cette affaire au clair ! se dit-elle en se ressaisissant. Ce devait être une plaisanterie, une stupide plaisanterie !

Elle s'habilla à la hâte, descendit quatre à quatre l'escalier et se précipita dans la cuisine. Bruno était nonchalamment assis à la table de ferme, ses longues jambes croisées devant lui, les manches de sa chemise relevées sur ses avant-bras musclés. Plus sexy que jamais, songea Katy en réfrénant le trouble qui s'emparait d'elle. Le moment était pourtant mal choisi pour céder à son charme…

— Tu veux du café ? demanda-t-il.

— Quand es-tu rentré ? rétorqua Katy avec une agressivité mal contenue.

S'il était aussi calme, c'était certainement parce qu'il n'était pas au courant de cette invraisemblable histoire, songea-t-elle tout à coup. Il faudrait bien qu'elle lui en parle, et il allait être furieux.

— Tu as vu Joseph ? demanda-t-elle d'une voix plus maîtrisée.

— Oui, je viens de le voir.

120

Elle lui lança un regard stupéfait. Elle n'y comprenait plus rien…

— Tu devrais jeter un coup d'œil à ces journaux, suggéra-t-il soudain.

Dans son émotion, elle n'avait pas vu la pile de journaux qui trônait sur la table.

— Tiens, tu n'as qu'à commencer par celui-là, poursuivit-il en lui tendant le premier de la pile.

Sans un mot, Katy déplia le quotidien et crut que son cœur allait s'arrêter de battre : à la une, en grandes lettres capitales, on annonçait les fiançailles de Bruno Giannella, le plus beau parti de Londres, avec Mlle Katy West. S'ensuivait un long article sur la déception que cette nouvelle suscitait chez les mannequins et autres actrices de cinéma qui avaient, à un moment ou à un autre, croisé l'existence de Bruno et espéré se faire épouser. C'était une parfaite inconnue qui avait décroché le gros lot, concluait l'article avec une absence totale d'élégance.

A la hâte, elle parcourut la une des autres journaux. Toutes annonçaient la même nouvelle : Katy West allait devenir Mme Bruno Giannella.

— Mais qu'est-ce que c'est que cette histoire ? s'écria-t-elle enfin d'une voix blanche. Et comment peux-tu rester aussi calme ?

— J'ai mis un certain temps à m'y faire, admit Bruno. Isobel m'a appelé hier soir pour me conseiller de jeter un œil sur les journaux d'aujourd'hui. Ce que j'ai fait dès qu'ils ont été en vente. Bien sûr, il était trop tard pour intervenir. Aussi suis-je venu aussitôt pour prévenir Joseph avant qu'il ne reçoive son journal.

— Mais… mes parents ? bredouilla Katy. Il faut que je les appelle, que je les mette au courant. Que vont-ils penser ?

Elle se tourna vers Bruno avec un regard désolé.

— Que faire ? s'écria-t-elle, éperdue. C'est horrible ! Et toi, tu restes impassible comme si tout ça ne prêtait pas à conséquence ! ajouta-t-elle avec une fureur mal contenue. Comme si ça ne te concernait pas ! Je te signale que c'est ton mariage qu'annoncent tous ces journaux !

— Je sais, dit-il simplement.

Elle le regarda plus attentivement et remarqua tout à coup ses traits tendus.

— Je ne devrais pas m'énerver, déclara-t-elle enfin d'une voix radoucie. Après tout, nous sommes dans la même galère, et c'est pire pour toi qui es si souvent la cible des journalistes… Qu'as-tu l'intention de faire ?

Habitué comme il l'était à gérer des crises, il avait certainement déjà trouvé une solution !

— J'avoue que la situation me paraît particulièrement délicate, murmura-t-il d'un air pensif.

— Délicate ? En tout cas, il va bien falloir qu'on dise la vérité à nos proches, à commencer par Joseph et mes parents !

— Joseph… Parlons-en justement… Cette nouvelle ne pouvait pas lui faire plus plaisir, et à l'heure qu'il est il est aux anges.

Leurs regards se croisèrent, s'accrochèrent l'espace de quelques secondes et Katy ne put s'empêcher de frissonner tandis qu'un trouble sensuel désormais familier s'emparait d'elle. Elle se reprit heureusement bien vite : il fallait oublier ce qui s'était passé entre eux et se concentrer pour arranger cette situation invraisemblable.

— Pour tout dire, je crains beaucoup sa réaction si nous lui annonçons qu'il s'agit d'une erreur, reprit Bruno. N'oublie pas qu'il vient d'avoir une attaque et que le médecin a déconseillé toute émotion violente. Et puis il y a tes parents. Tu es leur fille unique, et j'imagine leur désarroi si tu les appelais pour leur dire qu'il s'agit d'une mauvaise plaisanterie.

122

Il fit une pause pour observer la jeune femme. Elle resta silencieuse, les yeux perdus dans le vague.

— Et enfin, il y a mon statut professionnel, acheva-t-il. Ma réputation d'homme d'affaires intègre risquerait d'en prendre un coup si les journaux me dépeignaient comme un séducteur qui promet le mariage à une jeune fille pour rompre la même semaine !

— Mais tu es un séducteur ! protesta Katy d'une voix étranglée.

— Entre avoir des aventures et séduire puis abandonner une jeune fille innocente, il y a une différence, il me semble !

— Ils ne savent pas que je suis une jeune fille innocente !

Bruno poussa un soupir las.

— Ils le sauront, affirma-t-il. Ils sauront tout… Dans quelques heures, ils seront plantés devant la grille du parc avec leurs appareils photo. Pour eux, je suis une proie de choix…

Katy était toute pâle.

— C'est affreux, murmura-t-elle. Comment allons-nous nous en sortir ?

Bruno se redressa et lui lança un regard aigu.

— Je ne vois qu'une issue possible : faire comme si ces fiançailles étaient réelles, dit-il. Une fois que les paparazzi auront eu leurs photos, ils iront chasser ailleurs…

— Et mes parents ? Joseph ?

— Même chose. On jouera les tourtereaux quelque temps, et puis on annoncera notre rupture. Ils penseront que nous avons eu raison de nous séparer avant le mariage plutôt qu'après.

Il posa la main sur celle de Katy, qui la retira aussitôt. Etant donné les circonstances, tout contact physique avec Bruno lui était infiniment douloureux. Il fallait en finir au plus vite.

— Tu as raison, c'est la seule solution : je vais appeler mes parents, annonça-t-elle en se levant brusquement. Et leur expliquer que nous avons voulu leur faire la surprise. J'espère qu'ils ne m'en voudront pas trop…, ajouta-t-elle en quittant la pièce.

Quand elle revint une dizaine de minutes plus tard, elle semblait presque soulagée.

— Ma mère a trouvé ça très romantique, expliqua-t-elle avec un soupir. Il paraît qu'elle et mon père ont décidé de se marier quinze jours après s'être rencontrés ! Je préfère juste ne pas imaginer ce qu'elle dira quand je lui annoncerai la rupture… Ah, au fait ! Ils arrivent demain. Je me suis efforcée de dissuader maman de venir, mais elle veut absolument faire ta connaissance ! Il va falloir que je leur trouve une chambre d'hôtel, ajouta-t-elle, soucieuse.

— Pas question ! intervint Bruno. Joseph ne comprendrait pas qu'ils n'habitent pas ici.

Elle protesta, car la perspective de cette cohabitation la mettait mal à l'aise, mais Bruno ne céda pas. Pourtant, cette idée était absurde ! Pourquoi imposer à leurs proches de faire véritablement connaissance, alors que dans quelques semaines tout serait terminé ? Une simple prise de contact autour d'un unique repas aurait amplement suffi !

— Joseph sera ravi de montrer ses orchidées à tes parents, et peut-être même les éditions rares de sa bibliothèque, ajouta Bruno.

Voilà justement ce qu'elle craignait : que les choses se passent trop bien, rendant plus difficile encore ce qui suivrait… Quoi qu'il en soit, il était inutile d'argumenter. Quand Bruno avait décidé quelque chose, rien ni personne ne pouvait le faire changer d'avis.

— As-tu parlé à Isobel ? demanda-t-elle brusquement.

— A quoi bon ? rétorqua-t-il. Je m'expliquerai avec elle plus tard. Pour l'instant, parons au plus pressé.

Katy réfléchit quelques instants.

— La meilleure solution serait que tu t'absentes le plus possible pour ton travail, suggéra-t-elle. Je resterai seule ici, sauf le week-end. Nous pourrons ensuite expliquer que tes engagements professionnels ont eu raison de notre couple. C'est plausible, non ?

Elle omit de préciser que l'avantage majeur de ce scénario était qu'ils se côtoieraient le moins possible. Elle n'ignorait pas, en effet, que s'ils vivaient ensemble au quotidien, la séparation serait extrêmement douloureuse. Par ailleurs, elle ne se sentait pas la force de jouer la comédie de la fiancée nageant dans le bonheur... Ce serait trop cruel.

— Oui, acquiesça-t-il d'un ton détaché.

— En tout cas, ce serait un argument valable, insista Katy. Il va bien falloir qu'on trouve quelque chose pour justifier une rupture aussi soudaine !

Il fronça les sourcils.

— Dans l'intervalle, nous devons nous procurer une bague, déclara-t-il comme s'il n'avait rien entendu.

— Une bague ? s'écria-t-elle en ouvrant de grands yeux.

— Oui, bien sûr ! Une bague de fiançailles ! Sinon ni Joseph ni tes parents ne croiront à notre histoire.

Il consulta sa montre et se leva.

— Viens, lança-t-il. Nous avons deux heures pour faire un aller-retour en ville.

Elle le suivit sans un mot. A quoi bon argumenter ? Cette histoire était de plus en plus invraisemblable, mais il était malheureusement impossible de faire machine arrière...

Deux bijouteries et une heure plus tard, ils pénétrèrent dans la dernière joaillerie de la ville.

— J'espère que cette fois c'est la bonne ! murmura Bruno à l'oreille de Katy. Nous n'avons vu que des horreurs jusqu'à présent.

Katy lui jeta un regard chargé d'incompréhension. Pourquoi se donner autant de mal pour une bague qui ne représentait rien et qu'elle lui rendrait dans quelques semaines ?

La vendeuse, aussi gracieuse qu'élégante, leur présenta des bijoux aux diamants si énormes que Katy en resta bouche bée.

— Mais c'est beaucoup trop ! s'exclama-t-elle, mal à l'aise.

— Rien n'est trop beau pour toi, murmura Bruno en lui effleurant la tempe d'un baiser furtif.

Katy réprima un frisson sous cette caresse sensuelle, mais fut aussitôt envahie d'une douloureuse amertume. Comment Bruno pouvait-il être assez pervers pour pousser la comédie aussi loin ? songea-t-elle, chassant de son esprit le souvenir brûlant d'autres caresses, d'autres baisers… Elle ne devait pas penser à ce qui s'était passé entre eux !

Un quart d'heure après, elle sortit du magasin avec une ravissante bague en or dont la monture finement ciselée était sertie de deux petits diamants. Elle avait eu un coup de cœur pour ce bijou charmant. Dans la rue, admirant son annulaire, elle se surprit à imaginer qu'elle était vraiment fiancée à Bruno, qu'ils allaient se marier pour de bon et son cœur se serra.

— Pourquoi ce soupir ? demanda Bruno en lui jetant un coup d'œil.

— Pour rien, répondit-elle à la hâte.

Par bonheur, il n'insista pas.

— Je meurs de soif, enchaîna-t-il. Si nous allions prendre un café ?

Ils s'attablèrent à une terrasse et commandèrent deux cappuccinos.

126

— Je ne t'ai même pas remerciée d'avoir si facilement accepté de jouer le jeu, lança Bruno en l'observant avec acuité. Après tout, tu aurais pu refuser ! Dans cette histoire, c'est moi qui ai le plus à perdre…

— Tu n'as pas à me remercier, c'était normal, rétorqua-t-elle. Et je voulais préserver Joseph et mes parents. De toute façon, tout ça ne va pas être très long, n'est-ce pas ?

— Je n'en suis pas si sûr, répondit-il, soudain soucieux. Cette mise en scène risque d'être un peu plus difficile à gérer que prévu. Ici, chez Joseph, nous avons l'impression de vivre en circuit fermé, mais mes secrétaires à Londres m'ont averti que la plupart de mes relations professionnelles se sont manifestées pour me féliciter dès la parution de l'annonce. Nous sommes déjà invités à plusieurs sorties officielles.

Katy pâlit. La tournure que prenaient les événements ne lui plaisait pas du tout…

— Demain, nous assistons à une première à l'Opéra dans la loge d'un client, enchaîna-t-il.

— Mais c'est ridicule ! s'écria-t-elle. Trouve une excuse pour refuser !

— J'ai accepté…, rétorqua-t-il. Tant que nous ne nous serons pas montrés en public tous les deux au moins une fois, les paparazzi ne cesseront de nous harceler. Laissons-les prendre quelques photos, et nous aurons la paix. Je te promets qu'à l'avenir je limiterai les obligations mondaines. Ah, un détail ! Pour demain soir, il faut que tu te trouves une tenue…

Katy lui lança un regard noir. Il disposait d'elle comme si elle n'avait pas son mot à dire ! Elle devait se plier à ses exigences, jouer à la future et parfaite épouse jusqu'à ce que, d'un coup de sifflet, il décide que la représentation était terminée !

— Et si je n'en ai pas envie ? lança-t-elle d'un ton menaçant.

— C'est toi que ça regarde, fit-il observer avec calme. Sache simplement que les femmes sont très habillées pour ce genre de soirée…

De nouveau, elle réfréna une bouffée de colère devant son parfait détachement, et cette insupportable façon qu'il avait de la contraindre sans en avoir l'air.

— Tu n'as qu'à y aller tout seul ! s'exclama-t-elle, à bout.

Cette fois, ce fut lui qui soupira.

— Katy, tu ne sembles pas bien comprendre ce qui va se passer si tu persistes à te cacher ! La curiosité des paparazzi en sera renforcée et nous allons les retrouver cachés dans le jardin, guettant la moindre occasion de prendre un cliché ! Tu imagines le choc de Joseph s'il se retrouve nez à nez avec un téléobjectif ! Je t'assure que si nous leur octroyons ce qu'ils veulent — une simple soirée à l'Opéra, par exemple —, ils se désintéresseront vite de nous.

— Nous n'aurions jamais dû mettre le doigt dans cet engrenage, murmura Katy.

Il lui jeta un coup d'œil incisif qu'elle ne remarqua pas.

— Tu veux dire que nous n'aurions pas dû nous embrasser l'autre jour au bord de la piscine, ou plutôt nous débrouiller pour ne pas être pris en flagrant délit ? demanda-t-il d'une voix coupante.

— Il aurait fallu dire tout de suite la vérité, répondit Katy, éludant sa question. A présent, il est trop tard.

— Tu as raison, il est trop tard, asséna-t-il. Alors allons te chercher des vêtements.

Comme lors de l'épisode de la bague, elle le suivit sans discuter. Elle n'avait guère le choix. Il l'emmena dans un magasin de luxe où une vendeuse les accueillit, tout sourires. Probablement refroidie par l'air renfrogné de Katy, elle se tourna d'emblée vers Bruno.

— Que puis-je pour vous ? demanda-t-elle de sa voix la plus suave.

— Madame doit se refaire une garde-robe, expliqua-t-il.

— Pas une garde-robe ! protesta Katy. J'ai juste besoin d'une robe !

— Je croyais que toutes les femmes rêvaient de dévaliser les boutiques ! s'exclama Bruno en l'enlaçant par la taille. Tu ne ressembles décidément à aucune autre, Katy !

Bouleversée de le sentir si proche, elle se dégagea aussi vite qu'elle le put.

— Lâche-moi, murmura-t-elle d'une voix étranglée.

Il resserra son étreinte et l'attira contre lui.

— N'oublie pas que nous sommes fiancés, lui murmura-t-il à l'oreille. Nous devrons être crédibles aux yeux de Joseph et de tes parents : mieux vaut répéter, n'est-ce pas ?

Répéter, jouer la comédie : pour Bruno, il ne s'agissait que de cela, alors que pour elle cette mascarade était un crève-cœur de tous les instants, songea Katy avec une douloureuse amertume.

La vendeuse leur présenta une dizaine de robes et tailleurs plus élégants les uns que les autres, parmi lesquels Bruno en sélectionna huit. Katy se taisait, décidée à ne pas intervenir dans ces achats qu'elle ne cautionnait pas.

— C'est absurde ! s'exclama-t-elle enfin, poussée à bout. Je ne vais pas te faire acheter huit ensembles alors que nous savons toi et moi que dans quelques semaines tout au plus je n'en aurai plus besoin.

— Tu n'auras qu'à les garder ! rétorqua Bruno d'une voix dure. Et la bague avec !

— Certainement pas ! protesta Katy sur le même ton. Le jour où je porterai une bague de fiançailles, ce sera parce qu'elle représentera un véritable engagement ! Or tu sais bien qu'il n'y a rien entre nous...

Un éclat métallique brilla dans le regard sombre de Bruno.

— Très bien, asséna-t-il. Tu en feras ce que tu voudras, tu la donneras si tu veux, mais je ne la récupérerai pas ! Et pour les robes, c'est pareil ! Si tu préfères continuer à te cacher sous tes vêtements informes, libre à toi !

Piquée au vif, Katy décida d'essayer les ensembles proposés par la vendeuse, ne serait-ce que pour faire ravaler ses paroles à Bruno. Comme n'importe quelle autre femme, elle pouvait être sexy et féminine si elle le voulait, et elle allait le lui prouver !

Contre toute attente, elle se prit au jeu et finit par s'amuser beaucoup à ces essayages. Entre autres robes, Bruno approuva son choix d'un fourreau en lamé argent pour la soirée à l'Opéra, mais, à sa grande déception, s'abstint de tout commentaire. Il paya sans un mot et demanda à ce que le tout soit livré chez Joseph.

Quand ils furent dans la rue, elle se tourna vers lui et lui lança un regard provocateur.

— Je vais te prendre au mot et garder les vêtements ! annonça-t-elle d'un air mutin. Qui sait, quand nous serons officiellement séparés, je me mettrai peut-être en quête d'un vrai compagnon, cette fois ! Ces robes pourraient m'être utiles…

9.

Allongée sur son lit, Katy était plongée dans la contemplation du plafond. Les rayons argentés de la lune donnaient à la pièce une lueur irréelle qui s'accordait bien avec son humeur. Malgré toutes ses tentatives, elle ne parvenait pas à savoir si la soirée qui venait de s'écouler avait été un succès ou un fiasco...

Ses parents, arrivés dans l'après-midi, avaient été aussitôt séduits par le charme de la vieille maison. Ravie de les retrouver en dépit de ces étranges circonstances, Katy leur avait fait faire le tour du propriétaire sur l'insistance de Joseph. Puis ils s'étaient tous réunis sur la terrasse pour prendre le thé, sauf Bruno, toujours invisible car retenu par une conférence téléphonique. Joseph et Mme West s'étaient découvert une passion commune pour les plantes et la conversation s'était engagée sur les orchidées.

Jusque-là, tout s'était bien passé pour la jeune femme... Mais dès que Joseph s'était excusé pour aller s'allonger avant le dîner, la laissant seule avec ses parents, ces derniers l'avaient soumise à un interrogatoire en règle. Qui était ce Bruno ? Pourquoi un mariage si soudain ? Etait-elle sûre de ne pas s'engager trop vite ? Katy, qui avait toujours détesté mentir, avait dû se résoudre la mort dans l'âme à affirmer qu'elle avait la certitude que Bruno était l'homme de sa vie. Contre toute attente, elle avait convaincu sans mal ses parents.

— Nous sommes heureux pour toi, ma chérie, avait murmuré sa mère en la serrant contre elle avec émotion. Et si impatients de rencontrer notre futur gendre !

Bruno était arrivé peu après, tout sourire, et s'était livré durant toute la soirée à une entreprise de séduction qui avait époustouflé Katy. Son charme était tel que ses parents avaient été aussitôt conquis. Tout en leur faisant la conversation avec esprit et vivacité, il ne manquait pas de manifester à Katy la tendresse d'un fiancé amoureux. Mille petits signes dans le comportement de Bruno avaient achevé de convaincre M. et Mme West que leur fille vivait une grande passion partagée : un bras passé autour de sa taille, un sourire appuyé, un clin d'œil tendre, un baiser furtif. Et chaque fois, bouleversée, Katy avait été partagée entre l'émotion que provoquait en elle cette proximité physique et la certitude qu'il ne s'agissait que d'une mise en scène.

Bruno aurait dû être acteur, songea-t-elle avec une douloureuse amertume. Après ce numéro, personne ne pouvait douter qu'il était fou d'amour pour elle...

Après une nuit agitée, Katy se réveilla le lendemain matin en proie à un terrible malaise, presque décidée à ne pas laisser repartir ses parents sans leur avoir annoncé la vérité. Tromper leur confiance pour la première fois de sa vie lui faisait horreur...

Pour se donner du courage, elle mit un soin tout particulier à sa toilette. Un peu de rose à joues raviva son teint pâle, de l'ombre à paupières accentua la profondeur de son regard. Délaissant pour une fois ses vêtements trop larges, elle sélectionna dans ses nouvelles tenues une jupe au-dessus du genou et le chemiser assorti qui accentuèrent l'élégance gracieuse de sa silhouette et sa féminité naturelle. Un instant, elle faillit ne pas mettre sa bague, mais le bijou était si beau qu'elle fit taire ses scrupules…

Elle trouva tout le monde réuni dans la salle à manger, autour d'un petit déjeuner buffet préparé avec soin par Maggie.

— Tu es ravissante, ma chérie ! lui lança Bruno de sa voix de basse.

Katy rougit, non de plaisir comme le crurent ses parents qui échangèrent aussitôt un regard attendri, mais de gêne. Il en faisait trop, vraiment trop ! Pourquoi prenait-il un plaisir sadique à la provoquer ainsi, à jouer avec ses nerfs ?

— Tu n'es pas déjà à ton bureau ? rétorqua-t-elle, étonnée. C'est inhabituel…

— Il est vrai que Bruno travaille beaucoup, expliqua Joseph en souriant. Quand il n'est pas en déplacement…

— Il voyage énormément pour ses affaires, s'empressa d'ajouter Katy d'un ton soucieux.

Excellente occasion de préparer le terrain pour le dénouement final ! songea-t-elle en son for intérieur. N'était-il pas convenu que leur couple ne résisterait pas aux absences trop fréquentes de Bruno ?

Elle ne remarqua pas le regard mécontent que lui adressa Bruno, car déjà sa mère lançait la conversation sur les pays qu'avait visités son futur gendre. Ce dernier se plia de bonne grâce à cet interrogatoire en racontant mille anecdotes passionnantes qui achevèrent de faire la conquête de M. et Mme West.

Mais quand Joseph et les parents de Katy se furent retirés dans leurs appartements, le premier pour se reposer et les seconds pour faire leurs bagages, la jeune femme comprit tout à coup à la mine courroucée de Bruno qu'il y avait un problème.

— Qu'est-ce qui t'a pris ? lança-t-il, furieux.

— De quoi veux-tu parler ?

— De cette façon que tu as eue d'orienter la conversation sur mes voyages comme si je passais mon temps dans les avions !

Elle tapota nerveusement le dossier d'un fauteuil.

— Je n'ai fait que suivre la stratégie que nous avons mise au point ensemble pour nous sortir de ce guêpier, rétorqua-t-elle, agacée. Dois-je te rappeler que nous annoncerons dans quelques semaines notre rupture, et que la raison invoquée sera tes trop nombreuses obligations à l'étranger ?

Ses explications ne semblèrent guère calmer Bruno.

— D'ailleurs, il serait assez habile que tu glisses dans la conversation avant le départ de mes parents une allusion à tes prochains déplacements, ajouta-t-elle pour enfoncer le clou. Histoire de préparer le terrain…

— Tu veux que je mente ? s'exclama-t-il d'un air courroucé.

Elle eut un sourire amer. Si tout ça n'avait pas été si triste, elle aurait presque ri de sa mine outragée !

— C'est ce que nous faisons avec application depuis hier, rappela-t-elle sèchement. Et là, au moins, il s'agit d'un mensonge utile !

De la cuisine leur parvenaient des bruits de vaisselle qu'on range : Maggie s'activait déjà en vue du déjeuner. Et ses parents n'allaient pas tarder à réapparaître pour une dernière tasse de café avant de prendre la route, songea Katy, en plein désarroi. Qu'allait-elle leur raconter ? Mentir, toujours mentir, jouer encore et toujours cette pitoyable comédie ! Elle en avait assez…

— Mes parents vont arriver, murmura-t-elle d'une voix sourde, et j'aimerais que tu leur dises quelque chose pour contrebalancer l'effet positif que tu as eu sur eux. Tu as réussi à les convaincre que tu étais le gendre idéal, ce qui va rendre les choses encore plus difficiles quand nous annoncerons notre séparation. Je t'en prie, essaie d'instiller le doute dans leur esprit, qu'ils ne tombent pas de trop haut ensuite !

— Pourquoi prendre les choses tellement au tragique ? s'exclama Bruno d'un ton dégagé. Nous ne leur avons même pas encore parlé mariage ; il est bien trop tôt pour préparer notre rupture !

— Oh, tu sais très bien comment sont les parents, et surtout les mères ! s'écria Katy. Je suis sûre que dès demain maman va me parler robe de mariage, traiteur et tout le tralala !

Un instant, elle s'imagina toute de blanc vêtue, avançant radieuse vers l'autel où l'attendait Bruno, et elle eut du mal à retenir ses larmes. Ce n'était qu'un rêve, un rêve rendu plus absurde encore par la mise en scène échafaudée par Bruno. Tout à coup, comme s'il avait senti sa faiblesse, il s'approcha d'elle et elle recula instinctivement de peur qu'il ne la touche, car elle ne savait pas si elle aurait la force de lui résister. Elle devait à tout prix se protéger de lui, étouffer cet amour qui la minait. Pour cela, il fallait le voir le moins possible, et donc sortir au plus vite de cette situation…

— Joseph et mes parents s'attendent à ce que nous leur annoncions rapidement la date du mariage, reprit-elle d'une voix plus calme. Plus vite nous les satisferons, mieux ce sera.

Il lui lança un coup d'œil méfiant.

— Dis-moi, Katy, une idée me vient tout à coup, déclara-t-il d'un ton soupçonneux. Une idée fort déplaisante… Et si tu profitais de la situation ? Hier, tu as décidé de garder ta garde-robe, aujourd'hui, tu insistes pour fixer une date de mariage ! Au fond, ces fiançailles forcées t'arrangent peut-être ? Je suis un parti rêvé, et il y a beaucoup à gagner pour toi dans cette affaire ! Aurais-tu l'intention de me demander un dédommagement en échange de ta discrétion ?

Elle lui lança un regard horrifié.

— Comment peux-tu imaginer une telle horreur ? s'écria-t-elle, scandalisée. Les vêtements, tu peux les garder, je n'en ai rien à faire ! Quant au reste, c'est… insultant !

— Peut-être avais-tu des plans dès le début ? continua-t-il sur le même ton inquisiteur. Pour toi qui n'avais jamais connu d'homme, commencer par moi n'était pas un mauvais choix…

Bruno l'imagina tout à coup dans les bras d'un autre et une bouffée de jalousie irrépressible l'envahit. Ses soupçons, sa violence verbale étaient ridicules, il le savait, mais Katy éveillait en lui un tel désir, un tel instinct de possession qu'il ne pouvait pas supporter l'idée qu'elle lui échappe.

Chez Katy, la fureur avait fait place à l'abattement.

— Je n'ai pas cherché à profiter de toi, Bruno, si c'est cela que tu veux m'entendre dire, protesta-t-elle dans un souffle. Et je n'ai pas prémédité de faire l'amour avec toi : c'est arrivé comme ça, parce que j'en avais envie. Jamais je n'aurai une relation avec un homme par intérêt ! ajouta-t-elle d'une voix à peine audible. Je ne comprends pas que tu puisses penser ça de moi.

Elle eut du mal à retenir ses larmes, mais y parvint dans un dernier sursaut d'orgueil. Il y eut un silence qui se prolongea, de plus en plus pénible…

— Tu as raison, déclara soudain Bruno. Je n'avais pas le droit de t'accuser ainsi. Je ne sais pas ce qui m'a pris, je suis désolé…

Bien sûr, il n'allait pas lui expliquer qu'il avait cédé à un incompréhensible accès de jalousie…

Loin d'apaiser Katy, les excuses de Bruno ne firent qu'aggraver sa détresse : ses lèvres se mirent à trembler, ses yeux s'embuèrent. Elle tenta de lui cacher son désarroi, mais en vain. Alors, n'y tenant plus, il lui passa un bras autour de la taille, l'attira à lui et lui prit les lèvres. Il l'embrassa avec passion, et son désir viril si longtemps contenu se déchaîna. Incapable de réfréner plus longtemps le besoin qu'il avait d'elle, il glissa une main sous son chemisier, dégrafa son soutien-gorge et caressa la peau si douce de ses seins. Bouleversée, tous les sens en éveil, Katy se cambra pour mieux s'offrir à lui. Elle ne comprenait plus rien aux événements, mais peu lui importait : elle était dans les bras de Bruno, elle sentait sa chaleur, son parfum enivrant, et cela seul comptait.

— Bruno, murmura-t-elle dans un éclair de lucidité, que fais-tu ?

— Que faisons-nous, devrais-tu dire…, répliqua-t-il en déposant sur sa poitrine d'affolants baisers.

La tête renversée en arrière, Katy ferma les yeux tandis qu'il taquinait alternativement ses mamelons dressés. La sensation était si exquise et déclenchait en elle des ondes de plaisir si profondes qu'un léger cri lui échappa. Bruno déchaînait en elle le feu qui couvait, et son corps tout entier semblait s'être embrasé

— Tu veux que j'arrête ? demanda-t-il entre deux baisers.

Elle lui lança un regard éperdu qui trahissait le dilemme dans lequel elle se trouvait. La raison lui enjoignait de mettre un terme à cette étreinte, mais elle se sentait incapable de résister aux pulsions incontrôlables qui la poussaient vers Bruno. Rien ne pouvait arrêter le besoin qu'ils avaient l'un de l'autre : c'était comme si, après une longue traversée du désert, elle parvenait enfin, grâce à lui, à étancher sa soif.

Pour toute réponse, elle l'enlaça avec passion… Il glissait la main sous sa jupe quand ils entendirent des pas. Ils s'écartèrent à la hâte et se rajustèrent juste avant que les parents de Katy ne pénètrent dans la salle à manger. Vu le regard complice qu'ils échangèrent, ceux-ci avaient parfaitement compris le genre de scène qu'ils avaient interrompue.

— Désolée de vous déranger, balbutia Mme West avec un petit sourire gêné. Nous venons prendre congé.

Peu après, côte à côte sur le perron, Bruno et Katy regardèrent la voiture s'éloigner dans l'allée de graviers en agitant la main. Dans le parc inondé de soleil, on entendait seulement le pépiement des oiseaux et le frémissement des feuilles agitées par la brise. Un délicieux matin de printemps, songea Katy que ce spectacle pourtant idyllique n'apaisait guère.

Comment aurait-elle pu être sereine après ce qui venait de se passer ? Si ses parents n'était pas arrivés, elle se serait donnée à Bruno, au mépris de toute pudeur, de toute raison ! Elle avait perdu la tête !

— A quelle heure partons-nous ce soir ? demanda-t-elle d'un ton distant, décidée à reprendre le contrôle d'elle-même.

— 18 heures. Et si tu fais cette tête-là toute la soirée, ce n'est même pas la peine de venir ! Quel est ton problème exactement ?

— Tu le sais très bien, bredouilla-t-elle d'un air buté.

Il poussa un soupir.

— Je vois, fit-il avec impatience. Tu veux parler de notre bref échange dans la salle à manger ?

Elle ne releva pas cette étrange expression et hocha la tête.

De nouveau, il eut un soupir exaspéré.

— Très bien. Si mes souvenirs sont bons, c'est moi qui ai commencé à t'embrasser, rappela-t-il. Eh bien, sache que cela ne se reproduira plus, je m'y engage. Tu es satisfaite ?

L'étonnement le disputa chez Katy à la déception.

— Parce que tu n'en auras plus envie ? ne put-elle s'empêcher de demander.

— Je n'ai pas dit ça, rétorqua Bruno d'un ton amusé. Mais si chaque baiser doit provoquer chez toi la certitude d'avoir commis le péché originel, je resterai sage. Bien sûr, si c'est toi qui en prends l'initiative, ce sera différent, ajouta-t-il en la guettant du coin de l'œil. Dans ce cas, je me laisserai faire volontiers… Nous sommes plutôt bien assortis sur ce plan-là, ne trouves-tu pas ?

Elle se sentit rougir. Bruno avait raison, songea-t-elle tout à coup. Pourquoi se bridait-elle ainsi, comme si elle avait fait vœu de chasteté ? Leur relation n'avait aucun avenir, mais pourquoi s'interdire ces instants magiques entre ses bras et ne pas profiter tout simplement du bonheur présent qu'il lui offrait, sans plus penser au lendemain ? Elle aurait juré qu'il avait éprouvé avec elle un plaisir aussi intense que le sien. Cette magnifique harmonie de leurs corps n'était-elle pas un don du ciel qu'elle ne pouvait pas refuser ?

Elle était si tentée qu'elle se força à réagir violemment pour ne pas céder.

— Là n'est pas la question, asséna-t-elle dans un sursaut de lucidité. Je serai prête à 18 heures, ajouta-t-elle d'une voix étranglée. Et je jouerai correctement mon rôle de fiancée, je te le promets.

Pas un muscle de son visage ne trahit ce qu'il pensait.

— Parfait, se contenta-t-il de noter. Quant à moi, je ne serai pas là cet après-midi. J'ai rendez-vous.

— Avec qui ? ne put-elle s'empêcher de demander.

— C'est vrai, j'oubliais que nous sommes fiancés et que je dois te tenir au courant de mes faits et gestes…, commenta-t-il avec ironie.

— Bien sûr que non ! protesta-t-elle en rougissant.

— J'ai rendez-vous avec une blonde, poursuivit-il comme s'il n'avait rien entendu. Une blonde de cinquante ans qui se trouve être mon expert-comptable. Tu es satisfaite ?

— Tu peux rencontrer toutes les blondes que tu veux, ça m'est parfaitement égal, affirma-t-elle avec aplomb. A ce soir.

« Ce soir, pensa-t-elle en se préparant pour l'Opéra, je lui dirai que ça ne peut plus durer. » Se prêter à cette mascarade alors qu'il n'éprouvait rien pour elle lui était trop pénible. Il n'aurait qu'à trouver une autre solution. Tant pis si elle décevait Joseph et ses parents, tant pis si la presse se déchaînait contre lui : tout valait mieux que ce sordide mensonge.

Quand, une fois prête, elle jeta un dernier regard à la glace de sa chambre, elle eut du mal à se reconnaître dans la superbe créature que lui renvoyait le miroir. Tout était parfait, depuis ses sandales en daim crème à hauts talons qui accentuaient la finesse de sa silhouette, jusqu'à son fourreau en lamé argent qui laissait deviner la rondeur de sa poitrine enserrée dans un soutien-gorge pigeonnant. Ses boucles blondes gracieusement disposées encadraient son visage au maquillage subtil, et un pendentif en or se nichait dans le creux de son décolleté. Sans oublier, bien sûr, la bague de fiançailles qui brillait à son doigt…

Oui, Bruno pourrait la donner sans honte en pâture aux photographes, songea-t-elle avec amertume en descendant lentement l'escalier.

Il l'attendait au bas des marches, si séduisant dans son costume trois pièces qu'elle en eut le souffle coupé. Sa chemise au blanc immaculé contrastait avec ses cheveux bruns et son teint hâlé, lui donnant le charme délicieusement excitant d'un aventurier des mers du Sud.

— Tu es… magnifique, murmura-t-elle malgré elle.

— Toi aussi, répondit-il en lui lançant un regard admiratif. Prête pour le bal…

— Jusqu'aux douze coups de minuit, compléta Katy d'une voix étranglée.

Et après, comme dans le conte de fées, la réalité reprendrait droit de cité : leur couple s'évanouirait comme le carrosse de Cendrillon, et elle annoncerait à Bruno que le jeu était fini.

Rien ne l'avait préparée au déploiement de journalistes et de photographes qui les attendaient à leur arrivée à l'Opéra.

Les paparazzi se précipitèrent sur eux dès qu'ils sortirent de la voiture, et les flashes se mirent à crépiter. Effrayée, Katy glissa instinctivement la main dans celle de Bruno : il la serra aussitôt avec une force communicative qui lui donna du courage. Rassérénée, elle monta sans faiblir les marches du grand escalier de pierre et se força même à sourire. Au point où elle en était, c'était un moindre effort...

Dans l'immense hall dallé de marbre où se pressait une foule élégante, ils furent immédiatement reconnus. Amis et connaissances s'empressaient autour d'eux, chacun voulant féliciter Bruno et se montrer à ses côtés. Il serra des mains, embrassa de ravissantes créatures et, à tous, présenta très officiellement Katy comme sa fiancée.

— Je ne savais pas que tu étais si... important, lui glissa cette dernière à l'oreille quand ils furent enfin assis dans leur loge.

— Si tu l'avais su, te serais-tu comportée autrement ? répliqua-t-il en guettant sa réaction.

— Bien sûr ! répondit-elle en souriant. J'aurais fait encore plus d'efforts pour t'éviter quand tu rendais autrefois visite à Joseph !

Il lui adressa un clin d'œil taquin.

— Ça, je n'ai pas de mal à le croire ! s'écria-t-il en lui effleurant la joue de l'index.

Le rideau se leva, l'orchestre se mit à jouer, et Katy oublia tous ses soucis pour profiter du spectacle grandiose.

Quand ils se levèrent à la fin de la représentation, elle était radieuse.

— Quelle expérience magnifique ! s'écria-t-elle, transportée. Je ne connaissais rien à l'opéra, mais je n'oublierai jamais ce moment !

— Tu n'en connais pas moins que la plupart des gens qui ne viennent ici que pour se montrer, répondit-il. Et, au moins, tu es capable de t'enthousiasmer, alors qu'ils se croient obligés de jouer les blasés…

— Tes paroles me mettent du baume au cœur, balbutia-t-elle, infiniment touchée. Je ne me sens pas très à l'aise dans cette foule triée sur le volet, tu sais…

Une fois dans la rue, ils attendirent que le chauffeur avance leur voiture, indifférents désormais aux quelques photographes qui n'avaient pas quitté les lieux. Encore éblouie, Katy ne remarqua pas la femme blonde qui avançait vers eux.

C'est le son de sa voix qui attira son attention.

Isobel !

— Toutes mes félicitations ! s'écria tout à coup celle-ci de son timbre haut perché. Quel joli couple vous faites !

Katy blêmit et chercha aussitôt le regard de Bruno. Comment devaient-ils réagir à cette provocation ?

Bruno resta de marbre. Il prit la main de Katy dans la sienne et se tourna vers l'intruse.

— Chère Isobel, dit-il, comme c'est aimable à toi ! Sans rancune, n'est-ce pas ? Nous n'étions pas faits l'un pour l'autre, tu le vois bien !

Isobel resta un instant bouche bée, contrariée d'avoir raté son effet.

A l'évidence, elle avait espéré le déstabiliser et restait sur sa faim.

— Ne fais pas le malin, Bruno, s'écria-t-elle enfin. Tu sais aussi bien que moi que ces fiançailles ne sont qu'une mascarade ! Un séducteur comme toi avec une petite employée comme elle ? C'est une plaisanterie, et il n'y a probablement qu'elle pour y croire ! acheva-t-elle avec un rire sardonique.

Tant de méchanceté suffoqua Katy.

— Je crains que tu ne fasses erreur, rétorqua alors Bruno d'une voix cinglante. Ces fiançailles sont bien réelles.

142

— Tiens donc ! Alors, bien sûr, vous allez fixer une date pour votre mariage…

Elle attendit sa réponse avec un sourire narquois.

— Exactement, répliqua Bruno en enlaçant Katy amoureusement. Je vais épouser mademoiselle : nous sommes en train de régler les derniers détails et annoncerons une date avant la fin de la semaine. Voilà qui fera un joli scoop, n'est-ce pas, messieurs ? acheva-t-il en se tournant vers les journalistes qui se tenaient prêts, appareils en main.

Il se pencha vers Katy, et quand il posa ses lèvres sur les siennes, les flashes se mirent à crépiter…

10.

Le choc fut tel pour la jeune femme qu'elle ne réalisa vraiment ce qui venait de se passer qu'en se retrouvant assise dans la voiture à côté de Bruno.

— Dis-moi que ce n'est pas vrai, balbutia-t-elle en lui jetant un regard qui trahissait son profond désarroi.

— C'est pourtant le cas, rétorqua-t-il d'un ton qui n'admettait pas la contradiction.

Puis, faisant coulisser la vitre fumée qui séparait la banquette arrière de l'avant de la limousine, il se pencha vers le chauffeur.

— Continuez à rouler, Harry, indiqua-t-il. Jusqu'à ce que je vous demande d'arrêter.

— Mais… vers où ? s'enquit ce dernier, interloqué.

— Où vous voulez, ça n'a aucune importance. Brighton et retour, si ça vous chante…

Harry acquiesça de la tête et Bruno referma la vitre. Le chauffeur ne pouvait plus ni les entendre, ni les voir. Alors Katy se tourna vers Bruno, décidée à le faire enfin sortir de son insupportable réserve.

— Si je n'ai pas rêvé, alors explique-moi à quoi tout cela rime ! s'écria-t-elle d'une voix étranglée. Te rends-tu seulement compte de ce que tu viens d'annoncer à la presse ? Comment allons-nous pouvoir revenir en arrière, à présent ?

— Inutile de se laisser aller à l'hystérie, fit observer Bruno avec un flegme qui eut pour seul effet de révolter encore un peu plus la jeune femme.

— Je ne suis pas hystérique, mais furieuse ! Avec tes bêtises, tu as rendu les choses encore plus compliquées. Avant, il fallait rompre nos fiançailles, et c'était déjà un casse-tête ! A présent, à cause de toi, c'est un mariage qu'il faut annuler ! Mais quelle mouche t'a donc piqué ?

Elle songea avec horreur aux gros titres qu'elle ne manquerait pas de lire dans les journaux le lendemain, et qui annonceraient, photos à l'appui, l'imminence de la cérémonie. Elle se moquait des relations de Bruno, de tous ses prétendus amis qui s'étaient précipités vers lui à l'Opéra. Que diraient-ils à Joseph et à ses parents ? Ils seraient terriblement peinés d'avoir été avertis après les journalistes ! Sans compter qu'ensuite il faudrait leur annoncer la rupture…

Pas de doute, Bruno avait perdu la tête !

— Pourquoi t'es-tu ainsi laissé manipuler par Isobel ? Il suffisait de la faire taire !

— Je ne me suis pas laissé manipuler par Isobel, corrigea Bruno d'une voix tendue.

— Alors c'est encore pire ! As-tu seulement pensé à la peine que nous allons causer à ton parrain, à mes parents ?

— Tu veux que je m'excuse, c'est ça ?

— Je n'ai rien à faire de tes excuses, c'est trop tard de toute façon ! J'essaie tout simplement de comprendre ce qui t'est passé par l'esprit !

— C'est pourtant simple ! Quand on est fiancés, on se marie, non ? rétorqua-t-il d'une voix posée.

Il l'observait avec attention, guettant sa réaction.

— Tu veux rire, j'espère ?

— Pas du tout, affirma-t-il sur le même ton raisonnable. Ce mariage n'est pas aussi absurde que tu veux bien le croire.

D'abord, nous ne pourrions pas être mieux assortis physiquement, commença-t-il comme s'il vantait un contrat commercial, et tu sais comme moi qu'une relation harmonieuse sur le plan sensuel est le gage d'un mariage réussi. Ensuite, nos familles respectives sont ravies. Voilà déjà deux arguments valables, il me semble !

Katy resta bouche bée, partagée entre l'incrédulité et la révolte. Comment osait-il envisager de mener cette comédie à son terme ? Le mariage représentait-il donc si peu pour lui ? Le cœur serré, elle se remémora ce qu'il lui avait dit avant la visite d'Isobel. Comme tout célibataire avançant en âge et las de papillonner, il jugeait le moment venu de s'installer. Il s'était donc mis en quête de l'épouse idéale, celle qui correspondait au cahier des charges qu'il s'était fixé. Isobel, son premier choix, n'ayant pas été à la hauteur de ses attentes, il se rabattait sur elle. Une bonne relation au lit, une entente intellectuelle satisfaisante, le tour était joué. Et les sentiments, l'amour dans tout ça ? Bruno s'en fichait ! Il était incapable d'aimer… De toute façon, il n'avait jamais pensé qu'à lui !

— T'es tu seulement posé la question de savoir ce que, moi, je voulais ? lança-t-elle d'une voix blanche. Eh bien je vais te le dire ! L'idée même de dire oui à un homme parce que nous nous entendons bien au lit et que je plais à sa famille me révolte ! Dans le mariage, l'attirance physique est nécessaire, mais elle n'est pas suffisante ! Peut-être avais-tu réussi à convaincre Isobel, mais, avec moi, tu perds ton temps… J'ai une autre conception du mariage, figure-toi !

Il y eut un silence tendu, et ils s'affrontèrent du regard. Mais dans les yeux sombres de Bruno, Katy ne lut aucune agressivité, bien au contraire…

— Je sais, tu n'es pas Isobel, fit-il enfin remarquer d'une voix grave. En fait, tu ne ressembles à aucune des femmes que j'ai connues jusqu'à présent. Tu es unique, et c'est cela qui te rend si précieuse...

Katy s'écarta et lui lança un regard de défiance. Il se moquait d'elle, une fois de plus !

— Je t'en prie, épargne-moi ton petit couplet romantique ! Inutile de me faire des compliments pour essayer de m'amadouer, je n'entrerai pas dans ton jeu.

— Je n'essaie pas de t'amadouer, protesta-t-il d'une voix douce qui l'ébranla. Je te dis ce que je pense...

Il avança la main et lui effleura la joue en une caresse si furtive qu'elle crut avoir rêvé.

— J'ai passé ma vie à côtoyer des femmes parfaites, si parfaites qu'elles me faisaient périr d'ennui ! reprit-il comme s'il se parlait à lui-même. Et puis je t'ai rencontrée...

A ces mots, le cœur de Katy se mit à battre à une vitesse redoublée. Quelque chose dans le ton de la voix de Bruno, dans son regard trouble, lui disait qu'il ne plaisantait pas. Mais s'il était sérieux, où voulait-il en venir ? Elle n'y comprenait plus rien...

— Tu étais si peu sûre de toi, si nerveuse au début ! reprit-il. Quand je suis arrivé ici, j'ai cru qu'entre nous le courant ne passerait jamais, je ne savais pas comment m'adresser à toi. Et puis, peu à peu, j'ai compris comment tu fonctionnais, et j'ai ressenti comme une bouffée d'air frais. Tu étais toi-même, tout simplement, plus vraie qu'aucune de celles que j'avais connues. Je me suis mis à penser à toi, à rechercher ta compagnie, à avoir besoin de toi. Je rêvais de toi, j'imaginais ce à quoi tu pouvais bien ressembler sous ton camouflage.

Elle sourit, d'un sourire timide et désorienté. Les paroles de Bruno étaient si douces à ses oreilles ! Elle aurait voulu qu'il ne s'arrête jamais...

Elle attendit, le souffle court, en proie à une indicible émotion.

— C'est pour me mettre à l'épreuve que j'ai fait venir Isobel, reprit-il. Pour m'empêcher de penser à toi. Mais c'est le contraire qui s'est produit : j'ai compris alors combien elle était superficielle, si caricaturale avec sa parfaite élégance et ses minauderies !

— Ce n'est pas parce que tu as décidé qu'Isobel n'était pas celle qu'il te fallait que je suis pour autant la femme de ta vie, balbutia Katy, le cœur battant à tout rompre. Un couple ne se construit pas sur un choix raisonné, mais sur des sentiments ! Pour qu'un mariage fonctionne, il faut cette étincelle, cette magie que seul l'amour procure !

Sa voix s'étrangla quand elle songea à la passion qui brûlait en elle et qui ne serait jamais payée de retour.

Il toussota nerveusement, et pour la première fois Katy eut le sentiment qu'il était déstabilisé.

— Mais c'est déjà un début, Katy ! lança-t-il d'une voix mal assurée. Peut-être pourrais-tu même apprendre à m'aimer ?

— Je ne comprends pas où tu veux en venir, balbutia-t-elle, au supplice.

— Tu ne m'aides pas beaucoup, constata-t-il avec un soupir.

— Voyons, Bruno, ne me dis pas que, toi, tu as besoin qu'on t'aide ! protesta-t-elle avec une ironie amère. Tu es plus apte que quiconque à te sortir des situations les plus délicates…

Il toussota de nouveau et chercha son regard.

— Eh bien, pour la première fois de ma vie, j'ai peur de parler, avoua-t-il. Peur que tu ne veuilles pas m'écouter…

Leurs regards se croisèrent avec une terrible intensité.

— Qu'as-tu à me dire, Bruno ? balbutia Katy.

— Que je t'aime et que je veux t'épouser ! lança-t-il tout à coup d'une voix vibrant d'émotion. Si tu t'en donnes le temps, un jour tu m'aimeras peut-être, toi aussi… Accorde-nous cette chance, Katy ; je sais que c'est possible, même si tu n'y crois pas aujourd'hui !

Katy resta muette, partagée entre la stupéfaction et l'indicible joie qui l'envahissait peu à peu.

Pourtant, elle n'osait pas encore croire tout à fait à son bonheur.

— Tu as dit que tu m'aimais… ? chuchota-t-elle comme si ces mots lui faisaient peur.

— Oui, je t'aime, je t'adore, confirma-t-il d'une voix sourde. Je ne peux pas vivre sans toi !

— Mais, quand, comment est-ce… ?

L'émotion l'empêcha d'achever, mais Bruno avait compris.

— Je l'ai su très vite après mon installation chez Joseph, expliqua-t-il, les yeux embués par l'émotion. D'abord, j'ai refusé l'évidence, et puis la visite d'Isobel m'a définitivement ouvert les yeux.

— Quand je pense que pendant tout ce temps, j'étais convaincue que mon amour pour toi ne serait jamais payé de retour ! lança-t-elle avec un sourire radieux.

Ce fut au tour de Bruno de la dévisager avec une stupéfaction émerveillée.

— Tu refusais de m'épouser, alors même que tu m'aimais ? s'exclama-t-il.

— Je préférais mourir d'amour loin de toi plutôt que devenir ta femme pour des questions de convenance !

— Tu te rends compte que sans l'intervention d'Isobel, nous serions encore en train de nous morfondre chacun de notre côté ! fit observer Bruno en attirant la jeune femme à lui.

Katy se lova contre lui, cherchant sa chaleur, son odeur, bouleversée de retrouver sa place contre son épaule.

— Sans le vouloir, c'est elle qui nous a réunis, renchérit Katy. Je suis si heureuse, Bruno…

— Moi aussi, ma chérie. A présent, il faut que je sache : veux-tu m'épouser et devenir la mère de mes enfants ?

— Comment pourrais-je te refuser quoi que ce soit, mon amour ? Tu es l'homme de ma vie, répondit-elle dans un sourire éblouissant.

Le nouveau visage
de la collection Or

◆

AMOURS D'AUJOURD'HUI

Afin de mieux exprimer sa modernité et de vous séduire encore davantage, votre collection Or a changé de couverture et de nom depuis le 1er mars 1995.

Rassurez-vous, les romans, eux, ne changent pas, et vous pourrez retrouver dans la collection **Amours d'Aujourd'hui** tous vos auteurs préférés.

Comme chaque mois, en effet, vous y attendent des héros d'aujourd'hui, aux prises avec des passions fortes et des situations difficiles...

**COLLECTION
AMOURS D'AUJOURD'HUI :**
Quand l'amour guérit des blessures de la vie...

Chère lectrice,

Vous nous êtes fidèle depuis longtemps?
Vous venez de faire notre connaissance?

C'est pour votre plaisir que nous avons
imaginé un rendez-vous chaque mois
avec vos auteurs préférés, vos
AUTEURS VEDETTE dans les
collections Azur et Horizon.

**Les AUTEURS VEDETTE vous
donneront rendez-vous pour de
nouveaux livres vedette.**

Pour les reconnaître, cherchez
l'étoile ... Elle vous guidera!

Éditions Harlequin

HARLEQUIN

LE FORUM DES LECTEURS ET LECTRICES

CHERS(ES) LECTEURS ET LECTRICES,

VOUS NOUS ETES FIDÈLES DEPUIS LONGTEMPS?

VOUS VENEZ DE FAIRE NOTRE CONNAISSANCE?

SI VOUS AVEZ DES COMMENTAIRES, DES CRITIQUES À
FORMULER, DES SUGGESTIONS À OFFRIR, N'HÉSITEZ
PAS… ÉCRIVEZ-NOUS À:
        LES ENTERPRISES HARLEQUIN LTÉE.
        498 RUE ODILE
        FABREVILLE, LAVAL, QUÉBEC.
        H7R 5X1

C'EST AVEC VOS PRÉCIEUX COMMENTAIRES QUE NOUS
ALLONS POUVOIR MIEUX VOUS SERVIR.

DE PLUS, SI VOUS DÉSIREZ RECEVOIR UNE OU
PLUSIEURS DE VOS SÉRIES HARLEQUIN PRÉFÉRÉE(S)
À VOTRE DOMICILE, NE TARDEZ PAS À CONTACTER LE
SERVICE D'ABONNEMENT; EN APPELANT AU
(514) 875-4444 (RÉGION DE MONTRÉAL) OU 1-800-667-4444
(EXTÉRIEUR DE MONTRÉAL) OU TÉLÉCOPIEUR
(514) 523-4444 OU COURRIER ELECTRONIQUE:
AQCOURRIER@ABONNEMENT.QC.CA OU EN ÉCRIVANT À:
        ABONNEMENT QUÉBEC
        525 RUE LOUIS-PASTEUR
        BOUCHERVILLE, QUÉBEC
        J4B 8E7

MERCI, À L'AVANCE, DE VOTRE COOPÉRATION.

BONNE LECTURE.

HARLEQUIN.

VOTRE PASSEPORT POUR LE MONDE DE L'AMOUR.

ROUGE PASSION

De fiévreuses histoires d'amour sensuelles!

De provocantes histoires d'amour passionnées et romantiques qu'on lit d'une seule traite. Aventureuses, parfois humoristiques, et sensuelles, elles mettent en vedette des hommes et des femmes d'aujourd'hui.

**ROUGE PASSION...
trois nouveaux titres chaque mois.**

GEN-RP-R

COLLECTION
HORIZON

Des histoires d'amour romantiques qui vous mènent au bout du monde!

Découvrez la passion et les vives émotions qu'apportent à la Collection Horizon des auteurs de renommée internationale!

Captivantes, voire irrésistibles, ces histoires d'amour vous iront assurément droit au coeur.

Surveillez nos trois nouveaux titres chaque mois!

69 **L'ASTROLOGIE EN DIRECT**
TOUT AU LONG
DE L'ANNÉE.

(France métropolitaine uniquement)
Par téléphone 08.92.68.41.01
0,34 € la minute (Serveur SCESI).

Composé et édité par les
éditions Harlequin
Achevé d'imprimer en juin 2005

BUSSIÈRE
GROUPE CPI

à Saint-Amand-Montrond (Cher)
Dépôt légal : juillet 2005
N° d'imprimeur : 51384 — N° d'éditeur : 11379

Imprimé en France